Ein WAS IST WAS Buch

Reptilien und Amphibien

von Robert Mathewson

Illustriert von Douglas Allen und Darrell Sweet

Deutsche Ausgabe von Otto Ehlert

Wissenschaftliche Überwachung durch
Dr. Paul E. Blackwood
vom U. S. Gesundheits- und Erziehungsministerium
Washington, D. C.

NEUER TESSLOFF VERLAG · HAMBURG

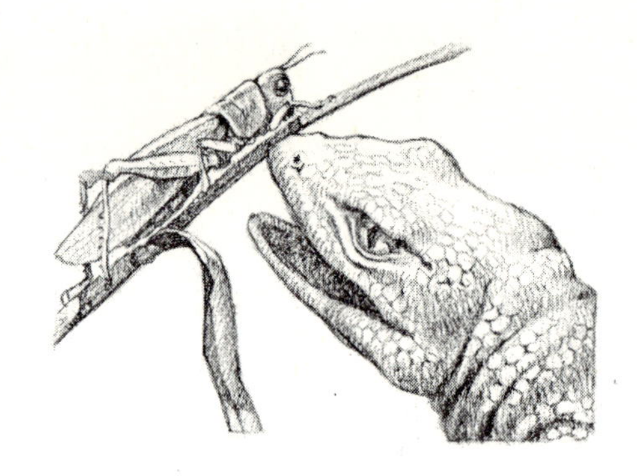

Vorwort

Fünf große Klassen von Wirbeltieren leben heute auf der Erde: die Amphibien, die Vögel, die Fische, die Reptilien und die Säugetiere.

Dies **WAS IST WAS**-BUCH beschäftigt sich ausführlich mit zwei dieser großen Klassen — mit den Amphibien und den Reptilien.

Wer die uns anerzogene Furcht vor Schlangen abstreift und sich näher mit ihnen beschäftigt, wird sie bald als anmutige und faszinierende Geschöpfe kennenlernen. Sie sind weder schleimig noch widerwärtig, wie häufig behauptet wird, sondern sauber und trocken; ihre Haut fühlt sich an wie feines Leder. Welche Schlangen sind harmlos und welche gefährlich? Wie weit beruhen die vielen sonderbaren und abergläubischen Vorstellungen über Schlangen auf Wahrheit?

Von Schlangen und Alligatoren, von Eidechsen, Fröschen und Kröten, von Lurchen und Molchen handelt dies Buch. Es berichtet von ihren Lebensgewohnheiten, ihren Warnfarben und Wohnräumen und schildert darüber hinaus noch viele interessante Einzelheiten aus ihrem Leben.

Dies **WAS IST WAS**-BUCH über Reptilien und Amphibien möchte dazu beitragen, Verständnis für diese beiden großen Tierklassen zu wecken, deren Vorfahren aus der Zeit stammen, als es noch keine Menschen auf der Erde gab.

Inhalt

Das Zeitalter der Reptilien

Im Anfang waren weite Flächen unserer Erde von warmen Gewässern überflutet, und nur darin gab es Leben. In manchen Zeiten des Jahres trockneten jedoch die Tümpel, Weiher und Binnenseen aus, in denen diese Tiere lebten. Viele gingen zugrunde, aber andere blieben am Leben und entwickelten im Laufe von vielen Millionen Jahren die Fähigkeit, die trockene Luft zu atmen und kürzere oder längere Zeit auf dem Land zu leben. Sie heißen „Amphibien". Der Name stammt aus dem Griechischen und bedeutet „doppellebig". Amphibien sind also Tiere, die im Wasser und auf dem Lande leben können.

Allmählich verbrachten viele Amphibien einen größeren Abschnitt ihres Lebens auf festem Boden, und ihr Körper stellte sich immer besser darauf ein. Schließlich konnten einige von ihnen ständig auf dem Land leben. Nach einem lateinischen Wort, das „kriechen" bedeutet, nennt man diese Tiere Reptilien.

Im Mesozoikum, dem Erdmittelalter vor zweihundert Millionen Jahren, wurden die Reptilien zur bedeutendsten Tiergruppe. Neue Formen entwickelten sich: Dinosaurier, die auf dem Land um-

herschweiften, große Meeresreptilien und drachenähnliche flugtüchtige Lebewesen. Die Dinosaurier wurden schließlich so stark und mächtig, daß sie über hundert Millionen Jahre lang die Erde beherrschten.

Die Erde veränderte sich jedoch. Das bisher gleichmäßig warme Klima wurde kühler. Die weiten Sumpfgebiete trockneten aus, und die Pflanzen, von denen die Dinosaurier lebten, gingen allmählich ein. Die Dinosaurier waren Kaltblüter — Tiere, deren Körperwärme von ihrer jeweiligen Umgebung abhängig ist — und daher von den neuen Witterungsverhältnissen besonders stark betroffen. Ihre gewaltige Größe hinderte sie, in Fels- oder Erdhöhlen Schutz zu suchen. Außerdem fanden die Pflanzenköstler unter ihnen nicht mehr genügend Nahrung oder konnten sich nicht auf die neu entstehende Vegetation umstellen, und so starben sie schließlich. Nun konnten sich auch die fleischfressenden Dinosaurier nicht mehr ernähren und gingen ebenfalls zugrunde.

Die gewaltigen Reptilien starben zwar aus, aber die kleineren überstanden die Veränderungen, und ihre Verwandten leben noch heute. Weshalb sie überlebten, wissen wir nicht; wir können nur vermuten, daß sie sich den veränderten Umweltsbedingungen besser anzugleichen verstanden.

Zu den heute noch lebenden Reptilien gehören Schlangen, Eidechsen, Schildkröten und Krokodile sowie diesen verwandte Arten, darunter auch die 60 Zentimeter große Tuatara.

Erste Bekanntschaft mit Reptilien

Schuppige Haut

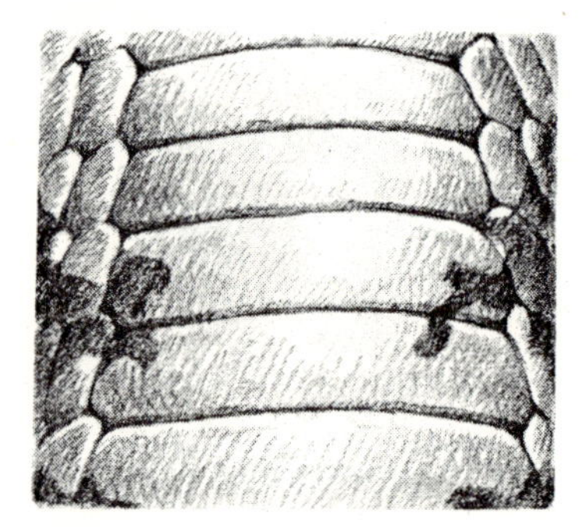

Gepanzerte Haut

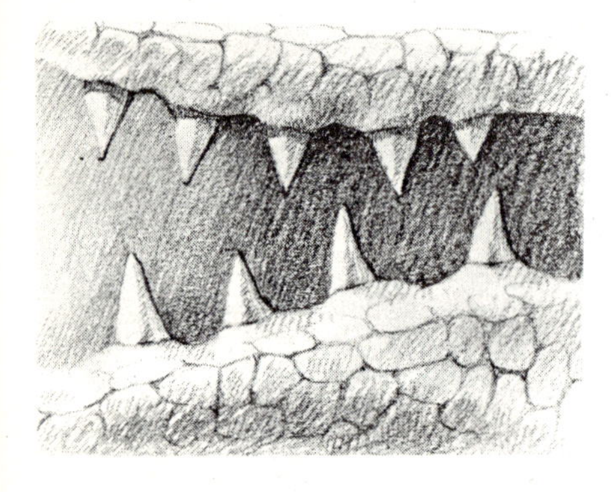

Zähne der Reptilien

Schlüpfende Kupferkopfschlange

Reptilien sind Wirbeltiere, die vornehmlich in den warmen und heißen Zonen leben. Sie sind wechselwarm, das heißt, ihre Körperwärme hängt von der Temperatur ihrer Umgebung ab. Ihre Haut ist mit Schuppen oder Schildern bedeckt oder gepanzert. Reptilien atmen durch Lungen. Ihre Zähne sind von etwa gleicher Form und Größe. Sie legen entweder Eier oder bringen lebende Junge zur Welt.

Vielen Leuten erscheint es ganz natürlich, sich vor Schlangen zu fürchten, weil sie alle Reptilien für giftige, schleimige und widerwärtige Tiere halten. Aber das sind sie keinesfalls. Sie sind trocken und sauber und fühlen sich an wie feines Leder. Nur verhältnismäßig wenige Arten sind giftig. Und wenn wir aufhörten, sie voreingenommen zu betrachten, und uns näher mit ihnen beschäftigten, würden wir finden, daß es wirklich hübsche und reizvolle Tiere sind, an denen man seine Freude haben kann.

Warum schaudert es viele Menschen vor Schlangen?

Kleine Kinder, die man nie vor Reptilien gewarnt hat, haben selten jene sogenannte „natürliche" Furcht vor ihnen, die angeblich tief im Menschen wurzelt. Zeigt man einem solchen Kind eine kleine, buntgefärbte Schlange, eine Eidechse oder eine Schildkröte, streckt es fast stets die Hände danach aus und möchte sie streicheln oder mit ihnen spielen.

Viele Erwachsene versichern zwar, nie vor Reptilien gewarnt worden zu sein, sich aber instinktiv vor ihnen zu fürchten. Könnten wir jedoch in ihre früheste Jugend zurückblicken, würde sich wahrscheinlich herausstellen, daß irgendwer oder irgend etwas ihnen diese Angst eingeflößt hat. Kein Mensch ist mit einer Furcht vor Schlangen geboren worden, und nicht zu allen Zeiten fürchtete man sie. Den alten Griechen zum Beispiel galt die Schlange des Äskulap sogar als Sinnbild der Heilkraft.

Gewiß gibt es eine ganze Reihe giftiger Schlangen, und es wäre töricht, Schlangen anzufassen, die man nicht genau kennt.

Junge Tiere fürchten Schlangen nur, wenn sie das Fürchten von älteren Artgenossen gelernt haben.

Andere Leute behaupten wieder, sogar wilde Tiere fürchten sich instinktiv vor Schlangen. Nun, man hat mit den verschiedensten jungen Tieren, besonders mit Affen, Versuche gemacht. Es ergab sich, daß junge Affen, die nie zuvor eine Schlange gesehen hatten, bei ihrem Anblick nicht die geringste Furcht zeigten. Dann steckte man sie jedoch mit älteren Affen zusammen und brachte eine Schlange in die Nähe des Käfigs. Die alten Tiere wurden sofort erregt, und nun begannen sich auch die Jungen zu fürchten.

Fürchten sich Tiere vor Schlangen?

Keine Schlange gebraucht ihren Schwanz zum Schlagen.

Von keinen anderen Tieren werden so viele unsinnige und phantastische Geschichten erzählt wie von den Reptilien. Einige sind geradezu dumm: „Es gibt Schlangen, die ihren Schwanz ins Maul nehmen und dann wie ein Reifen einen Hügel hinabrollen" — „Schildkröten werden eine Million Jahre alt" — „Schneidet man einer Schlange den Kopf ab, lebt ihr Körper noch bis Sonnenuntergang" — „Es gibt Schlangen, die Kühe melken können" — „Alligatoren leben fast ewig, ebenso die Schildkröten". Von alledem ist natürlich kein Sterbenswörtchen wahr.

Märchenhafte Geschichten über Reptilien

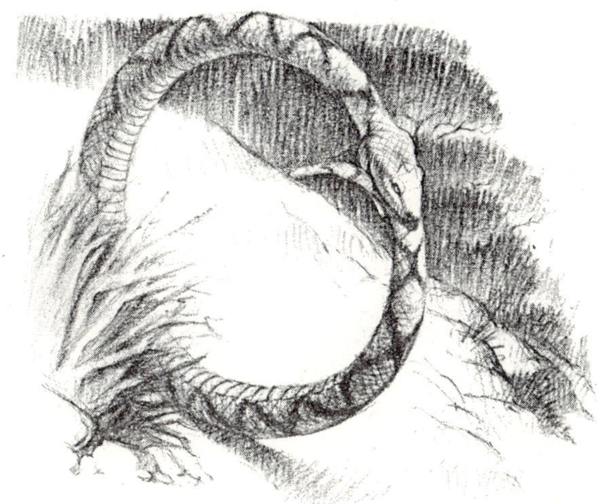

Schlangen rollen auch nicht wie Reifen bergabwärts.

Schlangen melken auch keine Kühe.

ZIER- ODER SCHMUCKSCHILDKRÖTE
D.A.
WALDBACHSCHILDKRÖTE
DOSENSCHILDKRÖTE
GOPHER-SCHILDKRÖTE
ZIER- ODER SCHMUCKSCHILDKRÖTE

GEFLECKTE WASSERSCHILDKRÖTE

LEDERSCHILDKRÖTE (im Wasser lebend)

KLAPPSCHILDKRÖTE

UNECHTE KARETTSCHILDKRÖTE

SUPPENSCHILDKRÖTE

SCHNAPPSCHILDKRÖTE

Harmlose und gefährliche Schlangen

Eine Reihe von Schlangen ist giftig, und das dürfte wohl die wirkliche Ursache sein, daß alle von den Menschen gefürchtet werden. Tatsächlich sind die meisten jedoch harmlos. Von den rund 2450 Arten, die auf der Erde vorkommen, sind nur 175 giftig.

Sind alle Schlangen giftig?

Ähnlich verhält es sich mit den Eidechsen. Nur zwei Arten sind giftig: die Gila- und die Skorpionechse, zwei Krustenechsen, von denen die eine in Mexiko, die andere im Südwesten Nordamerikas lebt. Alle anderen Arten — und es gibt Hunderte davon auf der Erde — sind nicht giftig. Ebensowenig gibt es giftige Krokodile und Schildkröten.

Eine andere, ebenfalls ungefährliche Reptilienart ist die Brückenechse, die seit 130 Millionen Jahren auf einigen kleinen, unzugänglichen Inseln vor Neuseeland lebt. „Tuatara" nannten die Maoris dies eidechsenähnliche Tier, das noch vor anderthalb Jahrhunderten auch auf den beiden Hauptinseln Neuseelands in größerer Zahl vorkam und gewissermaßen ein lebendes „Fossil" ist.

Die Gilaechse ist nach dem Gilafluß in Arizona benannt.

Die Tuatara lebt auf einigen Inseln vor Neuseeland.

Es wäre natürlich vorteilhaft, wenn alle Giftschlangen irgendein Kennzeichen hätten, eine Musterung oder vielleicht auch eine besondere Form, an der man sie von den ungefährlichen unterscheiden könnte. Nun, alle Klapperschlangen sind giftig, und man kann sie an den beweglichen Hornringen am Schwanzende erkennen, die bei stärkerer Bewegung ein hörbares Klappern erzeugen. Aber auch das ist kein zuverlässiges Merkmal, denn die Klapper könnte zufällig abgebrochen sein.

Kann man Giftschlangen auf den ersten Blick erkennen?

Es gibt kein eindeutiges Zeichen, an dem man feststellen kann, ob eine uns unbekannte Schlange giftig oder harmlos ist, es sei denn, wir schauten ihr in den Rachen und sähen nach, ob sie Giftzähne hat.

Manche Leute glauben, sobald es auf einer Waldwanderung nach Gurken rieche, sei eine Giftschlange in der Nähe. Aber das ist eine sehr gefährliche Methode, Schlangen zu

Verbreiten Giftschlangen einen besonderen Geruch?

identifizieren. Man braucht nur einige Bekannte zu fragen, wie denn eigentlich eine Gurke riecht, und erhält die unterschiedlichsten Antworten. Zweifellos ein sicherer Beweis, daß man Giftschlangen nicht an ihrem Geruch wahrnehmen kann.

Haben Giftschlangen eine besondere Kopfform?

Nach einer anderen Ansicht sollen Giftschlangen einen eiförmigen oder dreieckigen Kopf haben. Auch das ist unzutreffend. Einige der gefährlichsten Giftschlangen der Erde — die malaiische Königskobra, die vier Meter lange Schwarze Mamba Südafrikas und die amerikanische Korallenschlange — haben abgerundete, nur wenig vom Hals abgesetzte Köpfe. Andererseits haben viele Wasserschlangen dreieckig geformte Köpfe und sind völlig harmlos. Eine Giftschlange kann man also nicht an der Form ihres Kopfes erkennen.

Erkennt man Giftschlangen an den Augen?

Es gibt auch Leute, die Schlangen mit runden Pupillen für harmlos, mit senkrechten, elliptischen aber, wie die Katzen sie haben, für giftig halten. Auch das ist ein Märchen. Die besonders giftigen Kobras Indiens, Malayas und Afrikas haben runde Pupillen. Die harmlose Nachtschlange im Südwesten Nordamerikas dagegen hat elliptische Pupillen. An der Form der Pupillen läßt sich also ebensowenig eine giftige von einer harmlosen Schlange unterscheiden.

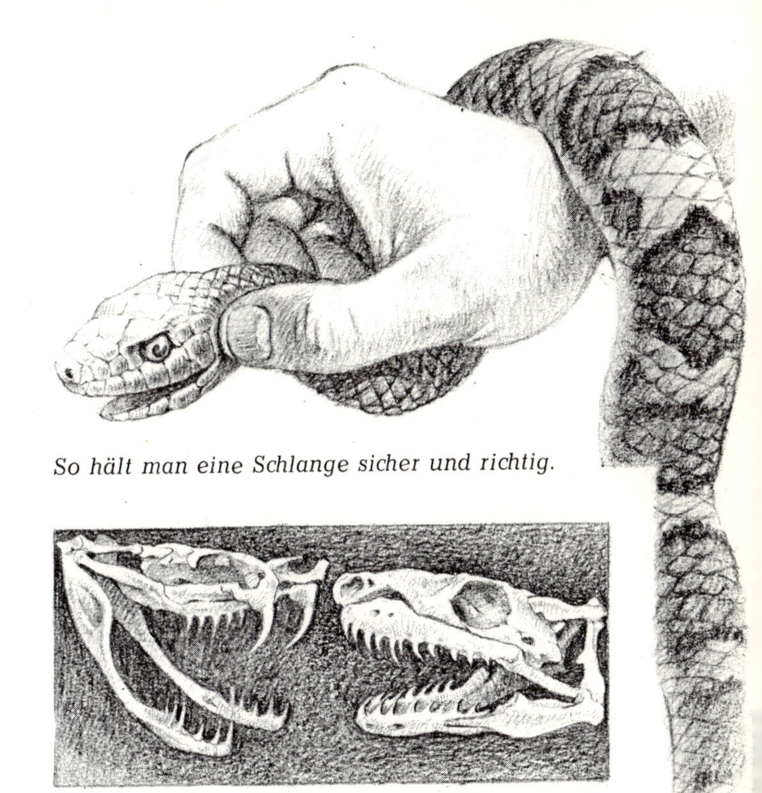

So hält man eine Schlange sicher und richtig.

Schlangenschädel: giftig (links), harmlos (rechts).

AFRIKANISCHE KOBRA

SKORPION-KRUSTENECHSE
CHUCKWALLA
HALSBANDLEGUAN
Douglas Allen

WÜSTEN-SCHIENENECHSE
GILAECHSE
KRÖTENECHSEN

Sind grüne Schlangen giftig?

Nach einem anderen Aberglauben sollen alle grünen Schlangen giftig sein. Nun, die Grüne Mamba Afrikas ist tatsächlich giftig und eine der lebensgefährlichsten Schlangen. Dagegen ist die grüne Schlange im Nordosten der Vereinigten Staaten völlig ungefährlich, sie wird nicht einmal versuchen zu beißen. Schlangen mit einer grünlichen Färbung sind also auch nicht unbedingt giftig.

Ist die Zunge der Reptilien giftig?

Die gespaltene Zunge vieler Reptilien ist nie giftig, sondern dient ihnen lediglich als Tastorgan, wenn auch nicht in der gleichen Weise wie unsere Zunge. Die Reptilienzunge schießt aus dem Mund heraus und bewegt sich auf und ab: sie züngelt. Dabei nimmt sie die geringsten in der Luft enthaltenen Duftspuren auf und befördert sie zu einer kleinen Grube, dem Jacobsonschen Organ; hier „schmeckt" sie, was sie in der Luft empfangen hat. Auf diese Weise erkennt das Reptil, was sich in seiner Nähe befindet. Das Jacobsonsche Organ ist hochempfindlich, und man meint, Schlangen wären mit seiner Hilfe sogar imstande, Wasser auf weite Entfernungen festzustellen.

Wo hat die Schlange das Gift?

Die Giftvorrichtung der Schlange besteht aus den Giftdrüsen und zwei Giftzähnen mit je einem Loch im Zahnboden und in der Zahnspitze und dem Verbindungskanal. Vor dem oberen Zahnloch mündet der Giftdrüsengang. Die Giftzähne können hochgestellt werden und pressen sich dann mit ihrem Boden fest gegen die Mündung des Giftdrüsenganges. Gleichzeitig werden die beiden Giftdrüsen — eine an jeder Kopfseite — durch Muskeln zusammengedrückt und lassen das Gift in den Zahn fließen. Die Schlange muß mit den Giftzähnen zuschlagen und beißen, um ihrem Opfer das Gift einzuspritzen.

Haben alle Schlangen das gleiche Gift?

Schlangen besitzen nicht alle dasselbe Gift. Einige haben Kreislaufgifte, die das Blut zersetzen und die Blutgefäße schädigen. Zu dieser Gruppe gehören die Klapper- und die Kupferkopfschlangen, aber auch viele Vipern

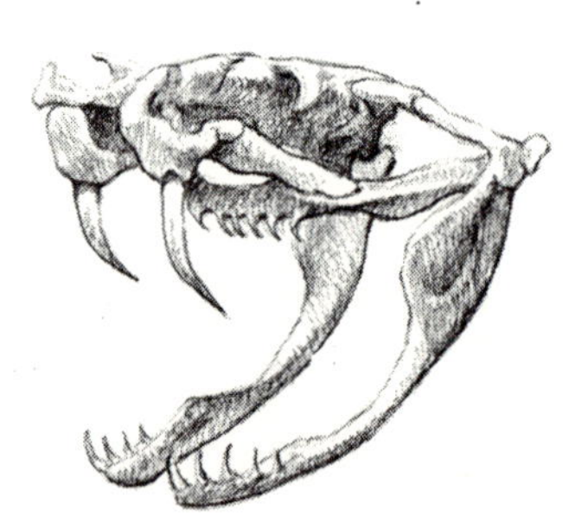
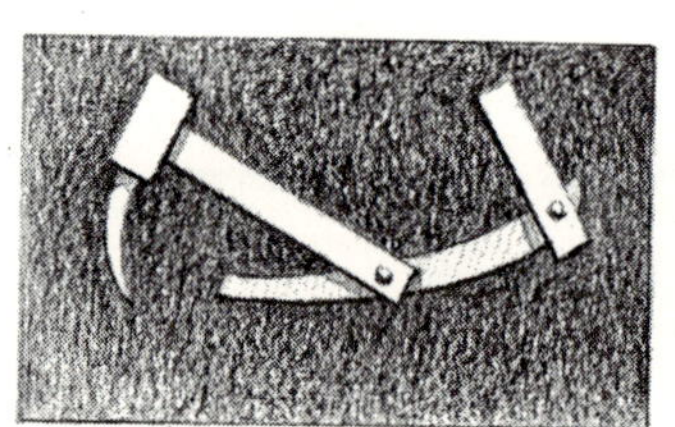
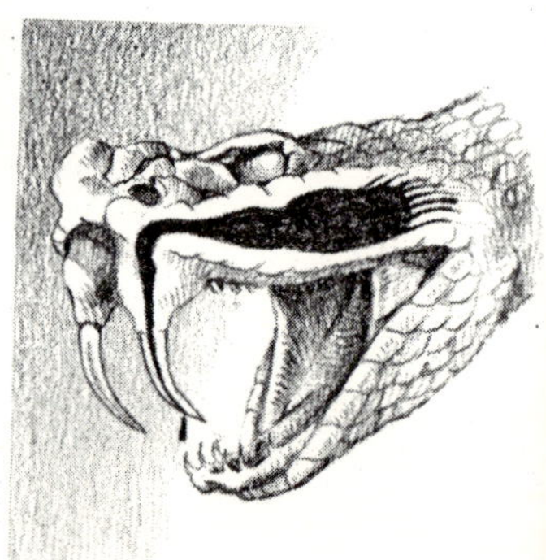
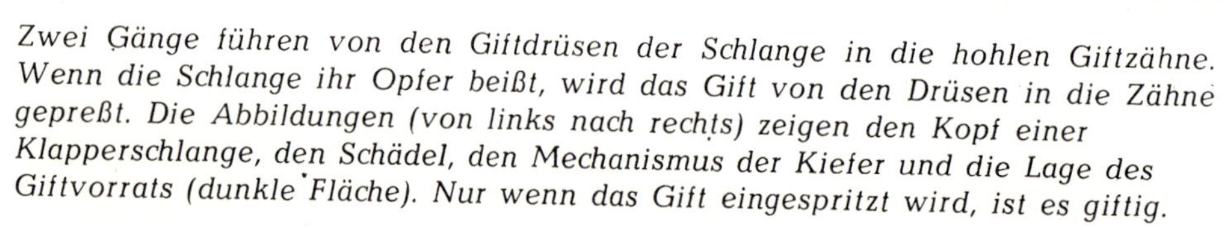

Zwei Gänge führen von den Giftdrüsen der Schlange in die hohlen Giftzähne. Wenn die Schlange ihr Opfer beißt, wird das Gift von den Drüsen in die Zähne gepreßt. Die Abbildungen (von links nach rechts) zeigen den Kopf einer Klapperschlange, den Schädel, den Mechanismus der Kiefer und die Lage des Giftvorrats (dunkle Fläche). Nur wenn das Gift eingespritzt wird, ist es giftig.

Die 4 m lange Boa oder Abgottschlange im tropischen Mittel- und Südamerika jagt Vögel und Säugetiere.

wie zum Beispiel unsere Kreuzottern und die afrikanischen Gabunvipern.
Die Kobras in Afrika, Malaya und Indien, die australische Tigerotter (deren Biß einen Menschen in wenigen Minuten töten kann), die Korallenottern in Amerika und noch viele andere besitzen Nervengifte, die tödliche Lähmungen verursachen können. Im Gift anderer Schlangen ist von beiden Arten etwas enthalten. Jede Giftschlangenart hat also ihr eigenes Gift. Bei einem Schlangenbiß muß als Impfstoff immer das Serum benutzt werden, das gegen die bestimmte Giftart wirkt.

Können Schlangen auch Gift spucken?

Eine einzigartige Giftschlange ist die afrikanische Speikobra. Sie ist etwa einen Meter lang und lebt in weiten Teilen Afrikas. Sie spritzt ihren Opfern nicht nur das Gift ein, wenn sie ihnen die Zähne in den Leib schlägt, sondern schleudert nahe genug herangekommenen Feinden auch kleine Gifttröpfchen von den Giftzähnen entgegen. Sie bäumt sich dabei auf, schnellt den Kopf vor und sprüht gleichzeitig das Gift mit scharfem Zischen von sich, wobei sie die Augen des Gegners zu treffen versucht. Das Gift verursacht dann eine Bindehautentzündung, die den Getroffenen blendet, zumal wenn er die Augen reibt.

Wie übertragen Eidechsen das Gift?

Die giftige Gila- und die Skorpionkrustenechse haben keine „hohlen" Giftzähne. Ihre Giftdrüsen befinden sich nicht wie bei den Schlangen im Ober-, sondern im Unterkiefer und scheiden zwischen Zähnen und Unterlippe ein giftiges Sekret aus. Die Furchen in den Zähnen des Ober- und Unterkiefers stehen nicht mit den Giftdrüsen in Verbindung. Gift und Speichel fließen vielmehr zusammen. Diese Echsen müssen ihre Beute mit den Zähnen festhalten, wenn das Gift in sie eindringen soll.

Was fressen die Schlangen?

Die ungiftigen Schlangen fangen ihre Beute auf andere Weise. Viele von ihnen sind Riesenschlangen und packen ihr Opfer mit ihren langen Zähnen, dann umschlingen und erwürgen sie die Beute. Sie töten das Tier nicht, indem sie es zerbrechen, sondern am Atmen hindern. Große und kleine Schlangen verfahren auf diese Art.

Wie töten Riesenschlangen ihr Opfer?

Um nur einige der großen Schlangen zu nennen, die sich ihre Nahrung auf diese Weise verschaffen: die Netzschlange in Südost-Asien (vornehmlich auf den Sundainseln), die eine Länge bis zu acht Metern erreicht; die meist drei Meter lange Boa und die neun Meter lange Anakonda in Südamerika; ferner die Tigerschlange Vorderindiens und Ceylons, die sechseinhalb Meter lang werden kann. Kleinere Schlangen sind die schwarze Ratten- und Hühnerschlange im Nordosten der Vereinigten Staaten, die kalifornische Milchschlange und viele hundert andere.

Die Schlangen, die ihre Beute nicht umschlingen, packen sie mit dem Maul und drücken sie unter ihren Körper oder verschlingen sie einfach wie die Ringelnatter. Alle Schlangen verschlingen ihre Nahrung im Ganzen, weil sie keine Kau- und Mahlzähne haben. Ihre wie Nadeln gebogenen Zähne haken sich fest in die Beute ein und schieben sie in den Schlund. Die nur lose durch dehnbare Bänder oder Spangen zusammengehaltenen Kiefer ermöglichen es der Schlange, ihren Mund sehr weit aufzureißen. Auch die sich überlappenden Schuppen des Rumpfes können sich weit auseinanderspreizen, so daß eine umfangreiche Beute verschlungen werden kann.

Wie fangen die anderen Schlangen ihre Beute?

Eine acht Meter lange Netzschlange kann mühelos ein Schwein mittlerer Größe verschlingen. Sie stülpt dabei ihren Kehlkopf wie einen Schnorchel an der Seite des Maules heraus und kann auf diese Weise atmen, während sie das Schwein hinabwürgt. Nach gut einer Stunde ist die Beute verschlungen. Nun sucht sich die Schlange ein geeignetes Versteck und bleibt dort etwa zwei Wochen, bis die Nahrung vollständig verdaut ist.

Fressen sie große Tiere?

Auch Eidechsen, Schildkröten und Krokodile haben eigenartige Freßgewohnheiten. Das in Südspanien, Nordafrika und Westasien beheimatete Gemeine Chamäleon fängt zum Beispiel seine Nahrung mit der Zunge. Diese etwa zwanzig bis dreißig Zentimeter großen Eidechsen sind meistens Baumbewohner. Sie bewegen sich auf den Zweigen der Bäume und Sträucher, und zwar so langsam, daß sie gut eine Minute brauchen, um einen ihrer Greiffüße, mit denen sie kleine Zweige umklammern, zu lösen und vorzuschieben, wobei sie ständig nach Insekten ausschauen. Die vorgewölbten Augen bewegen sich unabhängig voneinander und können gleichzeitig in verschiedene Richtungen nach Beute spähen.

Wie holen sich Eidechsen ihre Beute?

Sobald das Chamäleon ein Insekt entdeckt, schiebt es sich auf etwa zehn bis fünfzehn Zentimeter heran, visiert die Beute mit beiden Augen an, dann schießt blitzschnell die Zunge heraus, und schon verschwindet das Insekt im

Amerikanischer Alligator (rechts); amerikanisches Krokodil (unten). Beim Krokodil sind bei geschlossener Schnauze zwei Zähne auf jeder Seite des Unterkiefers sichtbar.

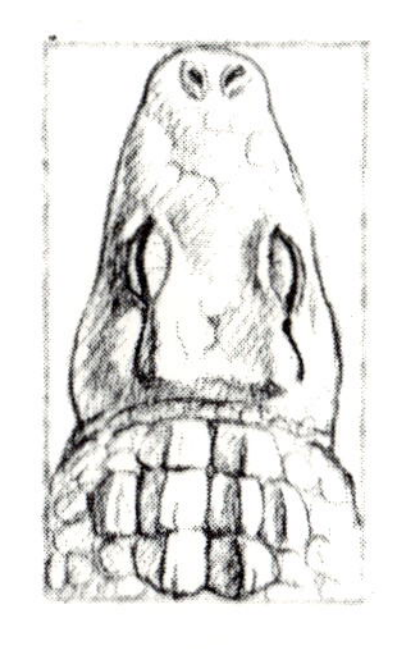

Kopf des Alligators (links) und des Krokodils (rechts). Die Schnauze des Alligators ist breit und abgerundet, die Schnauze des Krokodils dagegen spitz und der Kopf schmaler.

Rachen der Echse. Die Zunge ist fast halb so lang wie die Eidechse selbst; sie ist wurmförmig und hat ein klebriges, keulenartiges Ende. Ehe sich das Insekt überhaupt bewegen kann, befindet es sich bereits im Schlund der Echse. Chamäleons können ihre Farbe wechseln und passen sich dadurch ihrer Umgebung so gut an, daß man sie kaum sieht.
Das „amerikanische Chamäleon" im Südosten der Vereinigten Staaten und in Mexiko ist kein echtes Chamäleon, sondern gehört zur Familie der Leguane. Am bekanntesten in jenen Gebieten ist das Rotkehlanolis, eine kleine, lebhafte Eidechse, die wie ein echtes Chamäleon die Farbe wechseln kann. Viel flinker als das echte Chamäleon erhascht sie Fliegen oder andere Insekten im Sprung.

Wie bewegen sie sich?

Sind Schildkröten langsam?

Schildkröten marschieren im allgemeinen sehr langsam, können gelegentlich aber auch recht flink sein. Die überraschend schnellen Sprünge der etwa vierzig Zentimeter großen Schnappschildkröte im Osten der Vereinigten Staaten und der großen Geierschildkröte, in Amerika auch „Alligatorenschnapper" genannt, können außerordentlich gefährlich werden, wenn jemand den kräftigen Kiefern dieser Reptilien zu nahe kommt.

Die „Mata-mata", wie die Fransenschildkröte in Guayana und Nordbrasilien von den Indianern genannt wird, bewegt ihren Hals auf der Jagd nach Beute so schnell, daß man der Bewegung kaum folgen kann. Diese in den Tropenflüssen lebende Schildkröte ist durch ihren eigenartig gezackten, oft mit grünen Algen bewachsenen Rükkenpanzer und die wie Fransen von der Kehle herabhängenden Hautfalten besonders gut getarnt. Entdeckt die Matamata einen kleinen Fisch, schwimmt sie im Zeitlupentempo an ihr Opfer heran. Dann aber schnellt ihr Hals mit unglaublicher Geschwindigkeit etwa zwanzig bis dreißig Zentimeter weit heraus, und schon saugt der offene Mund das unvorsichtige Beutetier gierig in sich hinein. In solchen Fällen sieht man den Hals, der so lange zusammengefaltet unter der Schale lang, einmal in seiner ganzen Länge.

Können Alligatoren schnell laufen?

Ebenso überraschend bewegen sich Krokodile und Alligatoren. Ihre Jungen stoßen kurze quakende Töne aus, die sich manchmal wie Schreckenslaute anhören. Die Eltern eilen ihnen dann oft mit erstaunlicher Schnelligkeit zu Hilfe. Von den großen Krokodilen und Alligatoren in den tropischen und subtropischen Ländern der Erde wie zum Beispiel Afrika, Mittel- und Südamerika berichten Jäger, daß einige von ihnen sich über kurze Strecken schneller als ein Mensch bewegen.

FLIEGENDE EIDECHSE

Wie bewegen sich Schlangen?

Keine Bewegung eines Tieres, selbst der geschmeidige Gang eines Tigers oder die wellenförmigen Bewegungen einer Raupe sind so anmutig wie das gleitende Fließen der Schlange. Arm- und beinlos schlängelt sie sich über den Erdboden und erklimmt mühelos Bäume. Wenn man Schlangen genau beobachtet, erkennt man bald, wie sie sich fortbewegen.

Die Schlange schiebt zunächst den Schwanz gegen eine unebene Stelle des Erdbodens und streckt dann den vorderen Teil ihres Körpers, bis sie ge-

gen eine andere unebene Stelle, einen Stein zum Beispiel stößt. Nun benutzt sie diese Stelle gleichsam als Halt und zieht den Schwanz nach. Gleichzeitig drücken die Körperwindungen gegen den Boden; so stemmt und schiebt sich die Schlange vorwärts.
Die Schlange nutzt jede Unebenheit des Bodens doppelt aus, wenn sie ihren Körper Zentimeter um Zentimeter über alle holprigen Stellen hinwegschiebt. Sie bewegt sich wie fließend am Boden entlang und scheint auf die Bäume hinaufzugleiten. Auf einem sehr glatten Untergrund, einer Glasscheibe zum Beispiel, kriecht die Schlange ohne Seitenwindungen vorwärts; sie zieht kurz zuvor ebenfalls frei getragen wurden, auflegt. Dieser Vorgang wiederholt sich ständig von vorn nach hinten über den Körper hinweg, und zwar mit einer Beweglichkeit, die geradezu phantastisch anmutet.

Gibt es fliegende Schlangen?

Die ungewöhnlichste Art der Fortbewegung kann man an den fliegenden Schmuckbaumschlangen der Sundainseln und der Philippinen beobachten. Diese farbenprächtigen, etwa einen halben Meter langen Reptilien hausen auf Bäumen. Sie können

Fliegende Eidechsen gleiten mit Hilfe ihrer ausgebreiteten Hautfalten vo[n] Baum zu Baum. Der harmlose Gecko, dessen Finger und Zehen an de[r] Unterseite querliegende Lamellen besitzt, stößt zuweilen ein meckernde[s] „Jäck — Jäck" aus. Er soll danach seinen Namen erhalten haben.

den Schwanz an und bewegt sich wellenförmig wie eine Raupe fort.

Wie macht es die Wüstenschlange?

Der Seitenwinder, eine Klapperschlange in den südwestlichen Trockengebieten der Vereinigten Staaten, und die Wüstenviper Afrikas leben auf dem weichen, lockeren, sich leicht verschiebenden Wüstensand. Gewöhnlich bewegen sie sich wie die anderen Schlangen fort. Will der Seitenwinder jedoch schneller vorwärtskommen, hebt er den Körper vorn vom Boden ab, während er hintere Teile, die ihren Körper abflachen und schweben, wenn sie sich bedroht fühlen, im Gleitflug auf den Erdboden oder auf einen anderen Ast.

Wie bewegen sich Eidechsen?

Alle Eidechsen sind bewegliche und muntere Tiere und ähneln sich darin, daß sie äußerst rasch laufen, geschickt klettern und notfalls auch ohne ersichtliche Schwierigkeit schwimmen. Jede Bewegung wird durch Schlängeln des Leibes ausgeführt und wesentlich durch den Schwanz sowie die Beine unterstützt. Ihres Schwanzes

beraubte Eidechsen verlieren das Gleichgewicht und damit die Leichtigkeit und Regelmäßigkeit ihrer Bewegungen.
Einige kleine Wüsteneidechsen, der Sandsking (eine Wühlechse) zum Beispiel, verschwinden vor ihren Feinden im lockeren Sand. Mit Hilfe ihrer kräftigen Grabfüße scheinen sie gleichsam unter die Erdoberfläche zu tauchen. Die Geckos, eine kleine Eidechsenart, die überall auf der Erde in warmen Ländern vorkommt, besitzen an den Unterseiten der Zehen sogenannte Haftlamellen, die wie kleine Saugapparate wirken. Der Gecko läuft mit ihrer Hilfe mühelos über glatte Flächen, und auf der Jagd nach Insekten hängt er oft mit dem Rücken nach unten, sogar an der Zimmerdecke.
Die Wasserschildkröten sind eine sehr alte Reptilienart und existieren in ihrer heutigen Form seit etwa 150 Millionen Jahren. Mit ihren flossenartigen Beinen schwimmen sie elegant durch das Wasser.

Vom Nutzen der Reptilien

Wo legen Meeresschildkröten ihre Eier ab?

Diese großen Reptilien halten sich fast während ihres ganzen Lebens im Wasser auf. An Land steigen sie nur, um ihre Eier abzulegen. An den Frühsommerabenden verlassen viele Meeresschildkröten den Atlantik und den Pazifik und suchen den Sandstrand an den Küsten Nord-, Mittel- und Südamerikas auf. Dort scharren sie an Plätzen, die von der Flut nicht mehr erreicht werden können, flache Gruben. In zwei bis drei Stunden legt die Schildkröte 100 bis 150 Eier in dieses „Nest". Dann bedeckt sie das Gelege mit Sand und kümmert sich jetzt nicht mehr um

Die Schildkröten legen Eier und bedecken sie mit Sand, um sie zu schützen und zu wärmen. Rechts: Eine junge Schildkröte kriecht gerade aus dem Ei.

die im feuchtwarmen Sand liegenden Eier, aus denen schließlich die Jungen schlüpfen.

Sind die Eier genießbar?

Die Bewohner jener Küstenstriche sind eifrig auf der Suche nach solchen „Nestern", denn die Eier schmecken ausgezeichnet. Auch die Schildkröten selbst sind als Nahrung hoch geschätzt. Das Fleisch der großen, grünen atlantischen Meeresschildkröte gilt als besonders schmackhaft und wird gern für Schildkrötensuppe verwendet. Diese Meeresschildkröte, auch Suppenschildkröte genannt, kann bis zu 120 Zentimeter lang werden und ein Gewicht von 500 Pfund erreichen. Im allgemeinen wiegt sie 150 bis 200 Pfund.

Sind Reptilien sonst noch nützlich?

Vor dem Zeitalter der Kunststoffe wurden die Schalen der etwa fünfzig bis fünfundsiebzig Zentimeter großen echten Karettschildkröten zu Brillenfassungen und bunten Knöpfen verarbeitet.

In vielen Ländern findet man Lederwaren aus den Häuten von Alligatoren, Schlangen und Eidechsen: Geldbörsen, Brieftaschen, Handtaschen, Damenschuhe, Gürtel und manches andere mehr. Der größte Teil des Rohleders, das heute für die Herstellung dieser Lederwaren verwendet wird, kommt aus Südamerika. In Florida verbietet ein Naturschutzgesetz die Jagd auf Alligatoren, damit sie nicht aussterben.
Am wertvollsten aber sind die Reptilien für uns Menschen, weil ihre Nahrung überwiegend aus Insekten und Nagetieren besteht. Nach einer Schätzung zerstören allein die Nagetiere jährlich Nahrungsmittel im Wert von vielen

Millionen Mark. Alle Tiere, die Jagd auf Ratten, Mäuse und ähnliche Nager machen, sind gute und schätzenswerte Freunde des Menschen.

Wie wird Schlangenserum gewonnen?

Das Gegengift, das bei Schlangenbissen Menschen und Tieren das Leben retten kann, wird auf großen Schlangenfarmen gewonnen. Am bekanntesten ist das Serotherapeutische Institut in Butantan in Brasilien.
Man veranlaßt die Schlangen, ihr Gift abzugeben, und spritzt es dann in steigenden Mengen Pferden ein, die mit Gegengiftbildung darauf reagieren. Nach einer gewissen Zeit nimmt man den Pferden Blut ab, gewinnt daraus das Serum und füllt es in Ampullen, die an Apotheken und Krankenhäuser in der ganzen Welt verschickt werden.

Wie kann man mehr über Reptilien erfahren?

In den tropischen und subtropischen Ländern der Erde leben Reptilien der verschiedensten Gestalt, Größe und Farbe. Es gibt den sieben Meter langen, riesigen Ganges- oder Schnabelgalvial, ein Krokodil, das in den großen indischen Strömen heimisch ist und eine ungewöhnlich lange Schnauze — ein Sechstel der Körpergröße — hat. Es gibt die wurmähnliche Blindschlange, die zwanzig bis dreißig Zentimeter lang ist, in den wärmeren Ländern aller Kontinente lebt und vornehmlich unter Steinen oder in selbstgegrabenen Erdlöchern haust. Außerdem noch viele Formen, die man nur selten zu Gesicht bekommt, und andere, die man schon in der nahen Umgebung beobachten kann.
Viel Freude und Wissen läßt sich gewinnen, indem man Bücher über Reptilien liest, Museen und zoologische Gärten besucht. Am interessantesten ist und bleibt es jedoch, sich in der freien Natur umzusehen. Viele von uns können die Eidechsen, Schildkröten und Schlangen, von denen die folgenden Seiten berichten, allerdings nur in Tierparks oder auf Bildern sehen.

Ein Eidechsenschwanz ist leicht zerbrechlich; er wächst aber bald wieder nach.

Schildkröten

DIE EUROPÄISCHE SUMPFSCHILDKRÖTE

Schildkröten sind Tiere der Tropen und Subtropen, und je mehr man sich den Polen nähert, um so seltener werden sie. Nur eine Art ist bis weit in den Norden der gemäßigten Zone vorgedrungen und dort heimisch geworden: die Europäische Teich- oder Sumpfschildkröte. Ihre Heimat ist Mittel- und Südeuropa; im Norden wandert sie jedoch nicht über den 55. Breitengrad hinaus. In Deutschland fehlt sie westlich der Elbe, und auch östlich davon ist sie fast ganz ausgestorben. In den vergangenen Jahrhunderten hat man ihr im Westen unseres Landes ständig nachgestellt, sie massenweise gefangen und auf den Märkten als Fastenspeise verkauft. Außerdem haben ihr die allmähliche Versandung kleiner Teiche und Seen sowie die Flußregulierungen den natürlichen Lebensraum genommen.

Warum sind Sumpfschildkröten selten geworden?

EUROPÄISCHE SUMPFSCHILDKRÖTE

Bewachsene Tümpel und Teiche, kleinere Seen, stehende und langsam fließende Gewässer, die trübe und morastig sein können, sind das Wohngebiet dieser Schildkröte, deren braun- bis grünschwarzer Rückenschild mit seinen gelben Punkten und Strichen nur schwach gewölbt ist. Sie sonnt sich gern unmittelbar am Ufer, verschwindet aber schon bei der geringsten Störung im Wasser. Sie bläst Luft ab, sinkt schnell auf den Grund und versteckt sich dort zwischen Wasserpflanzen oder im Schlamm.

Wie leben Sumpfschildkröten?

Sie lebt von Fischen, Molchen, Fröschen, Wasserschnecken und Würmern. Mit schnellen, kräftigen Bissen ihrer scharfen Hornkiefer packt sie ihre Beute, hält sie zwischen den Vorderfüßen fest und reißt kleine Stücke heraus. Im Gegensatz zu den langsamen Pflanzenfressern, denen das Futter gewissermaßen ins Maul wächst, bewegt sie sich im Wasser und auf dem Land gleich schnell.

Anfang Juni bohrt das Weibchen mit den Hinterfüßen und dem Schwanz ein etwa 8 cm tiefes Loch in den lockeren Uferboden und schichtet darin sorgfältig 6 bis 15 Eier auf. Dann scharrt es mit den Hinterbeinen Erde darüber und glättet die Stelle mit dem Bauchpanzer. Die Sonne übernimmt das Ausbrüten der Eier, aus denen im August oder September, manchmal aber auch erst im Frühjahr, die Jungen schlüpfen. Falls es schon zu kühl sein sollte, graben sie sich tiefer in die Erde ein und überdauern dort den Winter. Manchmal überwintern sie auch im Ei und schlüpfen erst im kommenden Frühjahr, also elf Monate nach der Eiablage, heraus. Als selbständige kleine Lebewesen müssen sie sich die nötigen Nahrungsvorräte erst mühsam erjagen; bei der Überwinterung im Ei leben sie von den Reserven des Dottersacks.

Wo überwintern Sumpfschildkröten?

Ausgewachsene Schildkröten suchen im Herbst den Grund der Gewässer auf und überwintern im Schlamm.

SCHMUCKSCHILDKRÖTE

SCHMUCK-SCHILDKRÖTEN

Die reizenden und häufig in Terrarien gehaltenen Schmuckschildkröten sind in den Vereinigten Staaten die gewöhnlichen Teichschildkröten, die sich wie die europäischen Sumpfschildkröten gern auf einem Stein oder umgestürzten Baumstamm am Ufer sonnen. Werden sie gestört, gleiten sie schnell ins Wasser und verkriechen sich im Schlamm oder einem anderen Versteck. Man kann sie leicht an der gelb oder orange gefärbten Kante am Rücken- und Bauchpanzer erkennen. Die gelben, roten und anderen Streifen am Kopf und Hals sowie die Tupfen auf ihrem Panzer haben ihnen ihren Namen verliehen.
Schmuckschildkröten kommen nur gelegentlich aus dem Wasser, weil sie dort ihre Nahrung finden: Insektenlarven, Schnecken, Kaulquappen, Fische und Würmer. Junge Tiere sind sehr reizvoll und können gut in Terrarien gehalten werden.

DOSENSCHILDKRÖTEN

Haben sie einen wirksamen Schutz?

Die Dosenschildkröten haben wie die echten Landschildkröten einen stark gewölbten Rükkenpanzer. Ihr Bauchpanzer besteht aus zwei beweglichen Teilen, die vorn und hinten zum Rückenpanzer hochgezogen werden können. Auf diese Weise können sie alle empfindlichen und verwundbaren Stellen ihres Körpers wie in einer Dose verschließen.
Diese Schildkröten sind die besonderenLieblinge aller Reptilienfreunde. Sie sind von Natur aus friedlich und verträglich. In den Wäldern Mexikos und Nordamerikas sieht man sie besonders nach einem starken Regen gar nicht selten nach Insekten, Würmern und Beeren suchen. Sie leben zwar nicht im Wasser, zögern aber auch nicht, hineinzugehen. Manchmal kann man sie beim Baden beobachten. Dosenschildkröten können fünfzig bis sechzig Jahre alt werden. In Europa halten sich diese hübschen, bis zu 15 cm großen Schildkröten nur selten in der Gefangenschaft. Ihr brauner Rückenpanzer trägt gelbe und gelbrote Flecken.

DOSENSCHILDKRÖTE
(Landschildkröte)

GOPHER-SCHILDKRÖTEN

Die Gopher-Schildkröten leben in den sandreichen Ländern im Süden der Vereinigten Staaten — in Florida, Süd-Georgia und Alabama. Um sich besser auf festem Boden fortbewegen zu können, hat ihnen die Natur nicht wie den Sumpfschildkröten flache, mit Schwimmhäuten versehene, sondern kurze und dicke Füße verliehen. Die Gopher-Schildkröten graben manchmal bis zu zehn Meter lange Gänge in lokkeren Boden und legen am Ende eine Höhle an, groß genug, damit sie sich darin umdrehen können.

In der freien Natur nähren sie sich von Beeren, Gräsern und Insekten. In der Gefangenschaft kann man sie mit Salat, Beeren, Äpfeln und anderen Früch-

Die amerikanischen Gopher-Schildkröten graben Höhlen, in denen sie während der heißen Monate den Tag verbringen.

ten füttern. Auch sollte man ihnen eine flache Schale mit Wasser hinstellen, da sie an die Feuchtigkeit der Erdhöhlen gewöhnt sind.

DIE DIAMANTSCHILDKRÖTE

Diese Höcker-Schildkröten sind in den Salzsümpfen und Brackwassergebieten der nordamerikanischen Ostküste heimisch. Einst stellte man ihnen nach, weil sie als Delikatesse geschätzt wurden. Heute stehen sie in einigen amerikanischen Staaten unter Naturschutz, und ihre Zahl steigt wieder. Die jungen Schildkröten sind besonders reizende Tiere. Allerdings ist es schwierig, sie in Terrarien zu halten, weil sie ein großes Becken mit Meerwasser brauchen, doch ist es bereits gelungen, sie vorsichtig von Meer- an Süßwasser zu gewöhnen.

Die Diamantschildkröte frißt Pflanzen, Würmer, Muscheln und Schnecken.

Wie kam sie zu ihrem Namen?

Der Bauchpanzer ist gelblich, die großen, grauschwarzen Schilde des Rückenpanzers weisen eine Reihe weißer, mehr oder weniger diamantförmiger Fugen auf, die der Schildkröte den Namen „Diamantrücken“ eingebracht haben. An der nordamerikanischen Ostküste werden sie in Schildkrötenfarmen gezüchtet.

WEICHSCHILDKRÖTEN

Die scharfen Kiefer der etwa 40 cm langen, bissigen Weichschildkröten lassen es geraten erscheinen, ihnen nicht zu nahe zu kommen. Die jungen

Schildkröten dagegen sind friedlich und lassen sich leicht zähmen. Sie ernähren sich von Krebsen, Fischen, Würmern und Insekten. Im Terrarium nehmen sie gern kleine Fisch- und Fleischstücke an. Bei guter Fütterung wachsen sie schnell, und sind sie einmal zahm, bleiben sie friedlich und zutraulich.

Wie schützen sie sich?

In der freien Natur liegen sie häufig in flachem Wasser, manchmal auch im Schlick verborgen. Hin und wieder strecken sie den langen Hals vor, und die Spitze ihrer langen Nase durchbricht zum Atmen die Wasseroberfläche. Ein wirksamer Schutz, sonst würden diese im Wasser lebenden Reptilien mit ihrer nur von einer Lederhaut überzogenen weichen Schale eine leichte Beute ihrer Feinde werden. Auf dem Land können sie sich mit erstaunlicher Schnelligkeit bewegen, entfernen sich aber nur selten weit vom Wasser. Ist Gefahr im Verzug, tauchen sie schnell auf den Grund und verstecken sich im Schlamm.

WEICHSCHILDKRÖTE

Der meist sehr flache Rückenpanzer ohne Hornschilder ist kreis- oder eiförmig. Die Füße sind zwei- oder dreiklauig und haben breite Schwimmhäute. Die Flüsse und Sümpfe in den heißen Zonen Asiens, Afrikas und Nordamerikas sind ihre Heimat.

Eidechsen

Warum blieben ihre Vorfahren am Leben?

Die Ähnlichkeit zwischen den heutigen Eidechsen und den ausgestorbenen Dinosauriern ist unschwer zu erkennen. Als die Dinosaurier vor vielen Millionen Jahren die Erde beherrschten, lebten auch zahlreiche kleinere Reptilien zu Füßen dieser Giganten. Diese kleineren Reptilien — die Vorfahren unserer Eidechsen — konnten sich vor den Riesen leicht verbergen; sie plünderten vermutlich in vielen Fällen deren Gelege und verspeisten ihre Eier. Wahrscheinlich überlebten die vorgeschichtlichen Echsen die Dinosaurier durch ihre geringere Größe und ihr geringeres Nahrungsbedürfnis.

KOMODOWARAN

Die größte noch lebende Landeidechse ist der Komodowaran auf einigen entlegenen Eilanden der Kleinen Sunda-Inseln. Diese bis zu drei Meter lange Riesenechse hat einen dunkellehmfarbigen Körper, ein Gewicht von etwa einem Zentner und ist stark und wehrhaft. Komodowarane sind Raubtiere

Der Kopf der Eidechse ist deutlich vom Hals abgesetzt und mit großen, symmetrisch angeordneten Hornschildern bedeckt.

und greifen auch größere Säugetiere wie Hirsche und Wildschweine an.
Der Komodowaran, diese letzte und größte Riesenechse, mag eines jener kleinen Reptilien sein, welche die Jahrmillionen überdauerten.

DIE KRAGENECHSE

Wie blufft sie ihre Feinde?

Die meisten heutigen Eidechsen sind klein, und viele von ihnen haben ungewöhnliche Formen. Eine der absonderlichsten Arten ist die 75 cm lange australische Kragenechse. Kann sie nicht mehr fliehen, wenn sie bedroht ist, entfaltet sie einen großen grellgelb oder scharlachrot gefärbten Halskragen, der sonst zusammengelegt auf ihren Schultern ruht. Stellt sie sich nun noch auf die Hinterbeine, richtet den Vorderkörper auf und reißt das Maul auf, bietet sie ihren Feinden einen abschreckenden Anblick. Sie blufft jedoch nur! Allerdings kann sie auch ihre Zähne gebrauchen und mit dem Peitschenschwanz zuschlagen.

BLINDSCHLEICHE

Wie täuscht sie ihre Feinde?

Diese lange, schlanke und fußlose, in ganz Mitteleuropa verbreitete Eidechse sieht wie eine Schlange aus. Sie hat jedoch bewegliche, eidechsenartige Augenlider und Ohröffnun-

KOMODOWARAN

Die Kragenechse trägt eine Halskrause, die sie fächerförmig entfaltet, wenn sie erschreckt wird.

gen, die man niemals bei einer Schlange findet. Wie bei vielen anderen Eidechsen bricht der Schwanz ab, wenn man versucht, sie zu fangen. Aber das ist häufig eine gute und wirksame Abwehr, weil die Blindschleiche dabei nicht verletzt wird. Der Stumpf vernarbt schnell, und der Schwanz wächst wieder etwas nach. Frisch abgerissene Schwanzstücke winden sich noch eine zeitlang hin und her und reagieren auch bei Berühren. Die Aufmerksamkeit des Feindes wird dadurch abgelenkt, und die Blindschleiche kann sich in Sicherheit bringen.

In der Gefangenschaft füttert man Blindschleichen mit Ackerschnecken, kleinen Insekten und Regenwürmern. Ergreift man sie vorsichtig am Rumpf, bleibt der leicht zerbrechliche Schwanz erhalten.

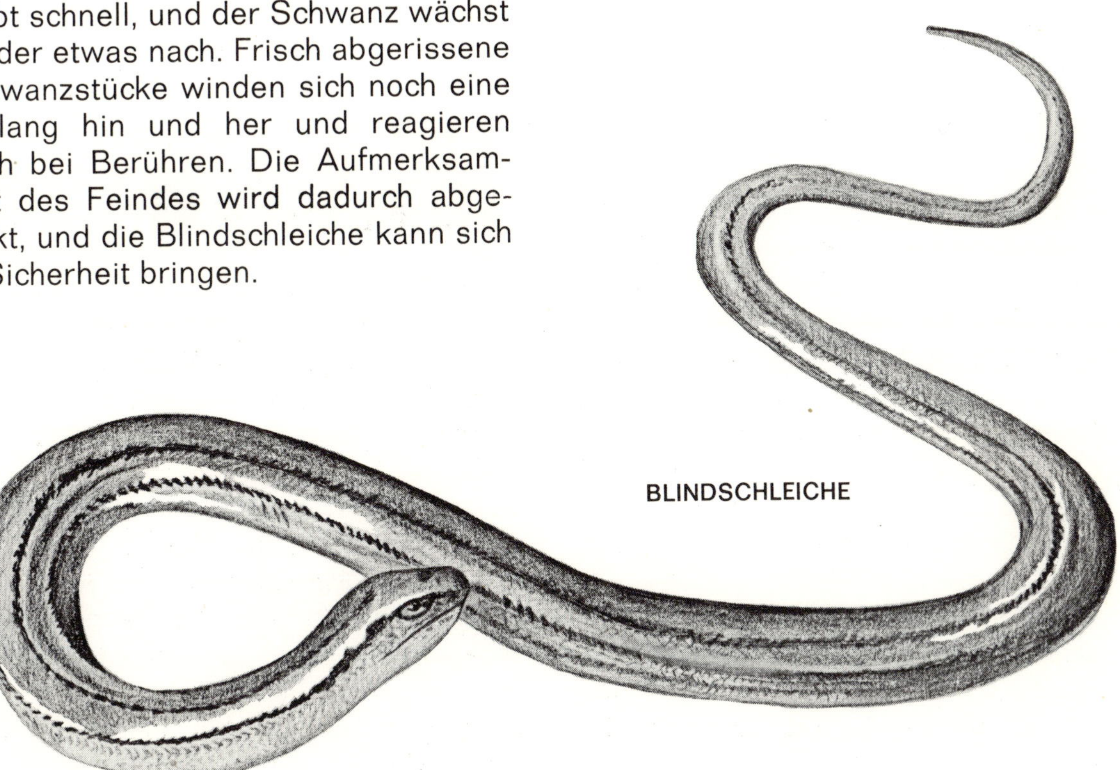

DER HALSBANDLEGUAN

Die Eidechsenfamilie der Leguane besteht aus mehr als 500 Arten und ist nur in Mittel- und Südamerika zu finden. Einige von ihnen sind Pflanzen-, andere Fleischfresser. Fast alle legen Eier, nur wenige bringen lebende Junge zur Welt.

richten den Oberkörper auf wie ein Känguruh. Und jetzt rennen sie 30 oder 40 Meter und noch mehr auf den Hinterbeinen weiter in einem Tempo, das man auf etwa zwanzig Kilometer in der Stunde geschätzt hat. Man könnte sie für eine Miniaturausgabe der riesigen Reptilien halten, die vor Jahrmillionen unsere Erde bevölkerten.

Halsbandleguane sind prächtig gefärbte, temperamentvolle Eidechsen. Sie leben in den Steinwüsten Arizonas, Kansas und Nordmexikos und machen weite Sätze wie Frösche.

Der Halsbandleguan lebt in den Wüsten Arkansas und Missouris bis Neu-Mexiko, in Texas und Arizona. Der schwarze oder tiefbraune Halskragen hat ihm seinen Namen gegeben. Halsbandleguane sind reizend, aber nervös und beißen gewöhnlich, wenn man sie anfassen will. Sie ernähren sich von Blumen, Insekten, Grashüpfern und Mehlwürmern, verschmähen aber auch kleine Artgenossen nicht.

Glauben sie, einem Feind noch entwischen zu können, eilen sie zwei oder drei Meter schnell davon. Dann haben sie gewöhnlich ihre volle Geschwindigkeit erreicht, heben den Schwanz und

ZAUNEIDECHSE

In Deutschland sind fünf Eidechsenarten beheimatet: die Mauereidechse, die vornehmlich in den Weinbaugebieten am Rhein zu finden ist, die prächtig gefärbte Smaragdeidechse, die als die „klügste" gilt, weil sie sich in der Gefangenschaft schnell anpassen kann, die Blindschleiche, die in ihrer Form einer Schlange ähnelt, die Berg- oder Waldeidechse und die Zauneidechse, die von den deutschen Arten am weitesten verbreitet ist.

Besonnte Steinhalden, Eisenbahndämme, Mauern und Hecken sind die

Zauneidechsen sind sehr flinke Tiere.

Plätze, wo sich die Zauneidechse ansiedelt. Auch in größeren Gärten und Parkanlagen ist sie zu Hause. Würmer, Asseln, Insekten und Spinnen bilden ihre Nahnung.
Zauneidechsen erreichen gewöhnlich eine Länge von zwanzig Zentimetern. Erwachen sie im März oder April aus ihrer Winterstarre, häuten sie sich bald. Die Männchen tragen dann ihr Hochzeitskleid, das an den Seiten prächtig grün gefärbt ist, manchmal auch gelbgrün wie eine unreife Zitrone oder dunkel- oder blaugrün, verziert mit Flecken und Pünktchen. Der Rükken ist braun oder grau mit einem breiten, dunklen Längsband und hell eingefaßten schwärzlichen Flecken.
Das Weibchen legt fünf bis fünfzehn Eier in lockeren Boden, und etwa zwei Monate später schlüpfen die zierlichen Jungen aus und mästen sich für den Winterschlaf ein kleines Bäuchlein an.

Ein Streifenskink (eine Walzenechse) bei der Eiablage.

SKINKE

Skinke oder Wühlechsen sind interessante Tiere, die über einen großen Teil der Erde — vom Äquator bis zu den gemäßigten Zonen — verbreitet sind. Besonders zahlreich sind sie in Australien, auf den Inseln des Pazifik, in Indien und Afrika. Viele leben wie die Zauneidechsen, andere auf Sträuchern und Bäumen und noch andere wühlen im Sand oder hausen in selbstgegrabenen Gängen oder Erdhöhlen.
Solch ein Wüstenskink ist ganz auf das Leben in den Wüsten der Erde eingestellt. „Sandfisch" nennt man den in Nordafrika beheimateten Apothekerskink. Diese glatten Eidechsen mit dem gedrungenen Körper und den kräftigen Grabfüßen bewegen sich im Wüstensand so geschickt und schnell wie ein Maulwurf in seinen Gängen. Um eine von ihnen zu fangen, muß man schon recht flink und gewandt sein.
Die Nahrung der Skinke besteht aus Käfern, Heuschrecken und Tausendfüßlern; größere Skinke ernähren sich von Pflanzen, fangen aber auch Mäuse und Vögel.
In Europa kommt ein Skink von 12 cm Länge auf der Pyrenäenhalbinsel vor. Ein anderer, die Walzenechse, lebt auf sandigem Boden und Abfallplätzen in Griechenland und kann sich in lockeren Boden schnell eingraben. Die Erzschlei-

che mit ihren zierlichen Beinstummeln, die nur drei etwa sieben Millimeter lange Zehen haben, erinnert in Größe und Aussehen an eine Blindschleiche und bewohnt mit Vorliebe feuchte Wiesen in Italien, auf Sizilien und Elba.
In der Gefangenschaft leben die Erzschleichen am besten in Terrarien mit sandigem und frischem Moos bedeckten Boden.

KRÖTENECHSEN

Warum nennt man sie Krötenechsen?

Gehörnte Eidechsen oder gehörnte Kröten nennt man die mausgroßen Echsen, die in der Einöde der Wüsten mit greller Sonne und hohen Temperaturen am Tage und bitterkalten Nächten an der amerikanisch-mexikanischen Grenze hausen. Der Körper ist mehr breit als hoch. Dreieckige Hornspitzen umrahmen den Kopf, aber auch der Rücken und die Flanken sind gepanzert. Die Naturforscher früherer Zeiten hielten diese Eidechsen mit dem gedrungenen Körper, den kurzen, dikken Beinen und der hockenden Haltung für Kröten, aber die Schuppen am Kör-

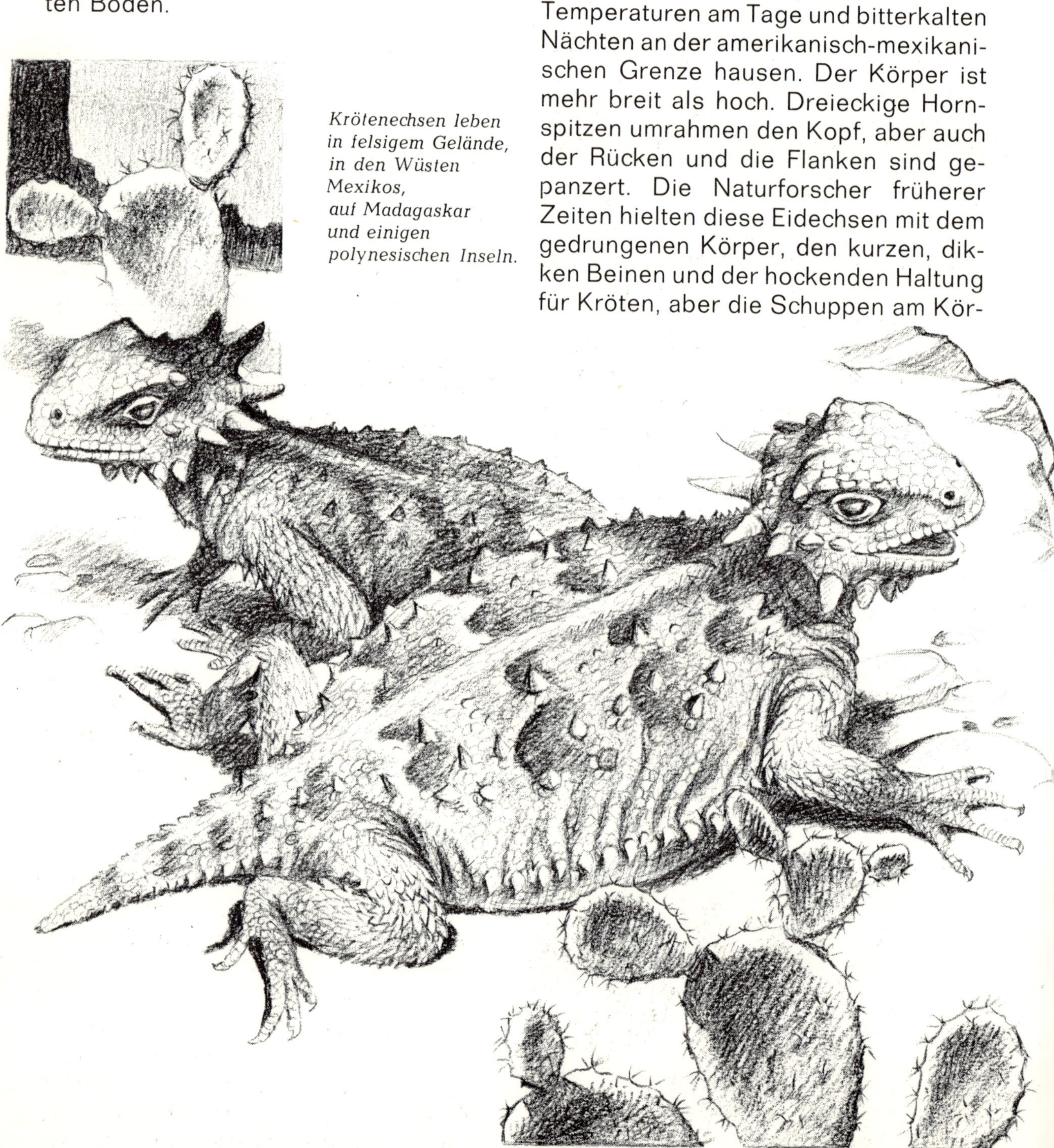

Krötenechsen leben in felsigem Gelände, in den Wüsten Mexikos, auf Madagaskar und einigen polynesischen Inseln.

Chamäleons sind eigenartige, meist auf Bäumen wohnende Echsen, die ihre Farbe verändern können.

per weisen sie als Reptilien aus.
In einem warmen Terrarium läßt sich die Krötenechse gut halten. Langsam und schwerfällig stapft sie dahin und schleckt mit ihrer dicken Zunge Ameisen oder beschleicht eine Heuschrecke.

Krötenechsen spritzen Blut

Droht Gefahr, bleiben die Krötenechsen entweder starr liegen, weil sie sich kaum vom Wüstensand abheben und Regungslosigkeit ihr bester Schutz ist, oder sie graben sich ein und blasen sich auf, bis sie fast doppelt so groß wie gewöhnlich erscheinen.
Aber sie können sich noch auf andere Weise verteidigen: sie spritzen Blut. Das Augenlid schwillt bei Gefahr an, das Auge schließt sich, und deutlich hörbar spritzt aus dem unteren Teil des Oberlides ein feiner Blutstrahl — einen Meter weit!
Bei Temperaturen über 20 Grad Celsius halten sich Krötenechsen gut in der Gefangenschaft. Sie fressen gern Ameisen und weichschalige Insekten.

DAS CHAMÄLEON

Das Chamäleon, das Faultier unter den Echsen, gehört nicht zu den Eidechsen im gewöhnlichen Sinn. Kleinasien, Arabien, Nordafrika und Südspanien ist die Heimat dieser eigenartigen Echse, deren Farbwechsel sprichwörtlich ist. Es hat die Fähigkeit, sich in Form und Farbe seiner jeweiligen Umgebung so gut anzupassen, daß selbst der geschulte Tierfreund es übersieht, wenn er dicht vor ihm steht.

Wie verändert es seine Farbe?

Unter der Haut dieser Echsen liegt eine Anzahl winziger, verzweigter Stellen, die einen Farbstoff (Pigment) enthalten. Wenn das Chamäleon erschreckt oder sich erregt, plötzlich erhitzt oder abkühlt, wenn es ins Licht oder in den Schatten gebracht wird, verschiebt sich der Farbstoff an den verschiedenen Schnittpunkten der Zellenzweige. Die Pigmentkörper verlagern sich zur Hautoberfläche, und eine Farbe überdeckt eine andere. Entfernen sich die Pigmentkörper wieder von der Oberfläche, tritt eine andere Farbe hervor. Die Farben wechseln von grün zu grau, von gelblichen Tönen zu bräunlichen oder tiefschwarzen. Ja, es kann sogar geschehen, daß sich die Seiten verschieden färben.
Chamäleons sind sichere und gewandte Kletterer. Mit den Vorder- und Hinterfüßen umgreifen sie die Zweige, können sich aber auch mit dem Schwanz verankern.
Chamäleons sind unverträgliche Tiere. Sie dulden keinen Nebenbuhler und tragen besonders bei der Werbung erbitterte Kämpfe aus. Für das Terrarium eignet sich das amerikanische Chamäleon am besten.

Schlangen

Wo sind die Schlangen im Winter?

Die Körpertemperatur der „Warmblütler“ (Vögel und Säugetiere) entsteht im Körper und bleibt mit geringen Schwankungen ständig gleich. Schlangen und andere Kriechtiere dagegen sind wechselwarm. Ihre Bluttemperatur und daher auch ihre Körperwärme sind von der Temperatur ihrer jeweiligen Umgebung abhängig. Sie müssen sich daher in den gemäßigten Zonen, in denen die Temperatur im Winter unter null Grad Celsius absinkt, besonders gut schützen. Vor Eintritt des Frostes ziehen sie sich tief in die Erde, in Gewässer oder in den Schlamm der Gewässer zurück. Hier verbringen sie die kalte Zeit des Jahres in einem Tiefschlaf.

In den arktischen und antarktischen Zonen findet man keine Kriechtiere. Dort würden ihre Körpersäfte und Körpergewebe gefrieren, und das bedeutet den Tod.

Die Kriechtiere in den Tropen mit ihren oft beträchtlich hohen Temperaturen suchen Verstecke auf und halten einen „Sommerschlaf“ — sie fallen in eine sogenannte Trockenstarre.

Wie hören Schlangen?

Die Schlangen unterscheiden sich von den anderen Kriechtieren dadurch, daß sie keine äußeren Ohren und keine Augenlider haben. Ihre Augen werden von einer durchsichtigen Kapsel geschützt, die mit der übrigen Haut verwachsen ist und bei der Häutung auch mit abgestreift wird.

Obwohl die Schlangen keine äußeren Ohren haben, besitzen sie doch ein Hörorgan. Durch ein Knochensäulchen im Mittelohr, Columella genannt, werden Schallschwingungen und Erschütterungen des Bodens auf das Trommelfell übertragen. Die Schlange hört also mit einem „inneren Ohr“.

Wie streift eine Schlange die Haut ab?

Sobald eine Schlange die äußere, verhornte Schicht ihrer Haut abstreifen muß, sucht sie einen ruhigen, geschützten Ort auf. Dort bleibt sie einige Tage still liegen, während eine besondere ölige Flüssigkeit zwischen die untere Hautschicht und der alten Außenhaut strömt und dann hart wird.

Diese Klapperschlange streift die lose Haut an einem Kaktus ab und häutet sich.

Nun bewegt sich die Schlange, reibt hier an einem rauhen Baumstamm oder dort an einem Stein den Kopf und löst auf diese Weise die Haut zuerst an den Maulrändern. Allmählich, wenn auch nicht ohne Mühe, kann sie dann aus der alten Haut herauskriechen. Etwa so, wie wir unsere Finger aus den Handschuhen ziehen, indem wir sie einfach abstreifen und dabei die Innenseite nach außen kehren.

GLATT- ODER SCHLINGNATTER

Die etwa 75 cm lange Natter, deren nächste Verwandte in Amerika die schön gezeichnete Milchschlange ist, gehört zu den in Mitteleuropa am häufigsten vorkommenden Schlangen. Man kennt sie unter zwei Namen: Glattnatter heißt sie, weil ihre Rückenschuppen so glatt und glänzend wie Porzellan sind und nicht gekielt wie bei der Kreuzotter und Ringelnatter. Sie stellt Eidechsen und Blindschleichen nach und fesselt ihre Beute mit drei oder vier Schlingen. Mit einer großen, ausgewachsenen Eidechse, die sich kräftig zur Wehr setzt, in den Körper oder gar in den Kopf der Natter beißt, kommt es dann zu einem langen Kampf. Aber nicht immer wird das Beutetier umschlungen, wie es in ihrem zweiten Namen zum Ausdruck kommt. Kleinere Eidechsen werden ohne weiteres verschlungen.
Das Wohngebiet der Glatt- oder Schlingnatter sind trockene Wälder und Heiden. Sie wird leicht mit der

Milchschlange, die amerikanische Verwandte der Glatt- oder Schlingnatter.

Kreuzotter verwechselt und häufig von ängstlichen Wanderern erschlagen. Ihre Pupillen sind rund und stehen nicht senkrecht wie bei der Kreuzotter.
Glattnattern sind ungemein geschickt im Klettern, und eine Glattnatter, die man am Schwanz packt, kann sich zur Hand emporwenden, indem sie ihren eigenen Körper als Stütze umwindet.

DIE HAKENNATTER

Diese kurze und plumpe Natter gehört zu den harmlosen Schlangen mit ungefurchten Zähnen. Man kann sie leicht an der schaufelartig aufgeworfenen Schnauze erkennen, mit der sie nach Kröten gräbt. Kröten sind ihre Hauptnahrung, aber auch junge Mäuse und Eidechsen werden nicht verschmäht.

Wie verhält sie sich bei Gefahr?

Fühlt die Hakennatter sich bedroht, zeigt sie ein recht ungewöhnliches Verhalten. Zunächst versucht sie, ihren Gegner einzuschüchtern. Sie atmet tief und dehnt ihren kurzen, dicken Körper so weit wie möglich, plattet Kopf und Hals, bis dieser dreimal so lang wie bisher erscheint, läßt einen zischenden Laut ertönen und macht einen Stoß auf den Gegner zu. Aber man kann ruhig die Hand hinhalten: die Hakennatter beißt nicht. Durch ihr bedrohliches Verhalten will sie den Feind nur zum Rückzug zwingen.
Hat die Hakennatter damit keinen Erfolg und kann sie sich der Bedrohung nicht entziehen, wendet sie eine andere Taktik an. Sie öffnet plötzlich den Mund und krümmt und windet sich, als liege sie im Todeskampf. Ein Zucken geht durch ihren Leib, sie rollt sich auf den Rücken und bleibt regungslos liegen: sie stellt sich tot. Man kann sie am Schwanz hochheben und über ein Gitter hängen, wo sie im Wind hin und herschwingt, oder sogar zu einem Knoten binden und auf die Straße werfen. Sie gibt kein Lebenszeichen von sich, mit einer Ausnahme: man kann sie zwingen, sich zu verraten, indem man sie auf die Bauchseite legt. Blitzschnell rollt sie sich wieder auf den Rücken und wird abermals leb- und kraftlos. Man kann den Versuch beliebig oft wiederholen. Zieht man sich zurück, fühlt sich die Schlange sicher, rollt sich auf den Bauch und gleitet davon, so schnell es ihr plumper Körper zuläßt. In der Gefangenschaft verliert sie dies Verhalten und hört auf, sich totzustellen.

HAKENNATTER

RINGELNATTER

Auch unsere einheimischen Nattern sind alle ungiftig. Sie unterscheiden sich von den Ottern und Vipern durch ihren schlanken Kopf, durch die gewöhnlich großen Augen mit kreisrunden Pupillen und den kaum vom Rumpf abgesetzten Schwanz.
Die Ringelnatter, die bekannteste Schlange unserer Heimat, ist ziemlich schlank und flink und leicht an den gut sichtbaren weißlichen oder gelben Mondflecken am Hinterkopf zu erkennen. Die übrige Färbung ist unterschiedlich: oben asch- oder schiefergrau, braunrötlich oder olivbraun mit vier bis sechs Längsreihen schwarzer Punkte, an der Bauchseite schwarz oder bläulichschwarz und weiß gewürfelt.
Man findet sie gewöhnlich an großen und kleinen stehenden Gewässern aller Art; an Teich-, Wald- und Wegrändern und Wassergräben, aber auch in Mooren und sumpfigen Wiesen, manchmal auch in Gärten und Parkanlagen. An besonders ruhigen Stellen kann sie bis zu 1,5 m lang werden. Braune Frösche munden ihr besser als grüne Laubfrösche; viele verspeisen auch Molche, Kaulquappen und kleine Fische. Wie alle Schlangen verschlingen sie ihre Beute möglichst ganz, und zwar mit dem Kopf voran. Im Gegensatz zu den meisten anderen einheimischen Schlangen verfolgt die Ringelnatter auch eine flüchtende Beute; sie schwimmt schnell und gewandt.
Auch die Ringelnatter hat eine Giftdrüse. Da ihr jedoch die Giftzähne fehlen, ist sie harmlos. Wird sie gereizt, zischt sie zwar und bläst sich auf, beißt aber nur selten. Sie schwingt und schleudert den Schwanz hin und her und entleert dabei den übelriechenden Inhalt ihrer Drüsen in der Schwanzwurzelgegend. Die Flüssigkeit aus den „Stinkdrüsen“ ist ihr einziges Verteidigungsmittel. Im übrigen aber hilft ihr nur die Flucht vor ihren zahlreichen Feinden: kleinen Raubtieren, Igeln, Fischreihern, Störchen, Greifvögeln und sogar Haushühnern.

Wieviel Junge kann eine Ringelnatter haben?

Ein Weibchen legt etwa 20 bis 40 Eier ab. Im feuchten Sand bei einer Temperatur um 25 Grad Celsius herum schlüpfen sieben bis zehn Wochen nach der Eiablage die gut 15 cm langen Jungen. Sie gleichen den ausgewachsenen Tieren, weichen nur oft in der Fleckenzeichnung ab.
Ringelnattern mittlerer Größe — also 60 bis 80 cm lang — lassen sich gut in der Gefangenschaft halten. Ein kleines Badebecken, ein Stein als Unterschlupf in einem sonnigen Terrarium genügen ihr. Kleine Frösche sind ihre Lieblingsspeise.

RINGELNATTER

KUPFERKOPFSCHLANGE (eine Grubenotter)
KLAPPERSCHLANGE
DIAMANTKLAPPERSCHLANGE

KÖNIGINNATTER
(eine Verwandte der Ringelnatter)
WASSERMOKASSINSCHLANGE
REGENBOGENNATTER
RATTEN- UND HÜHNERSCHLANGE

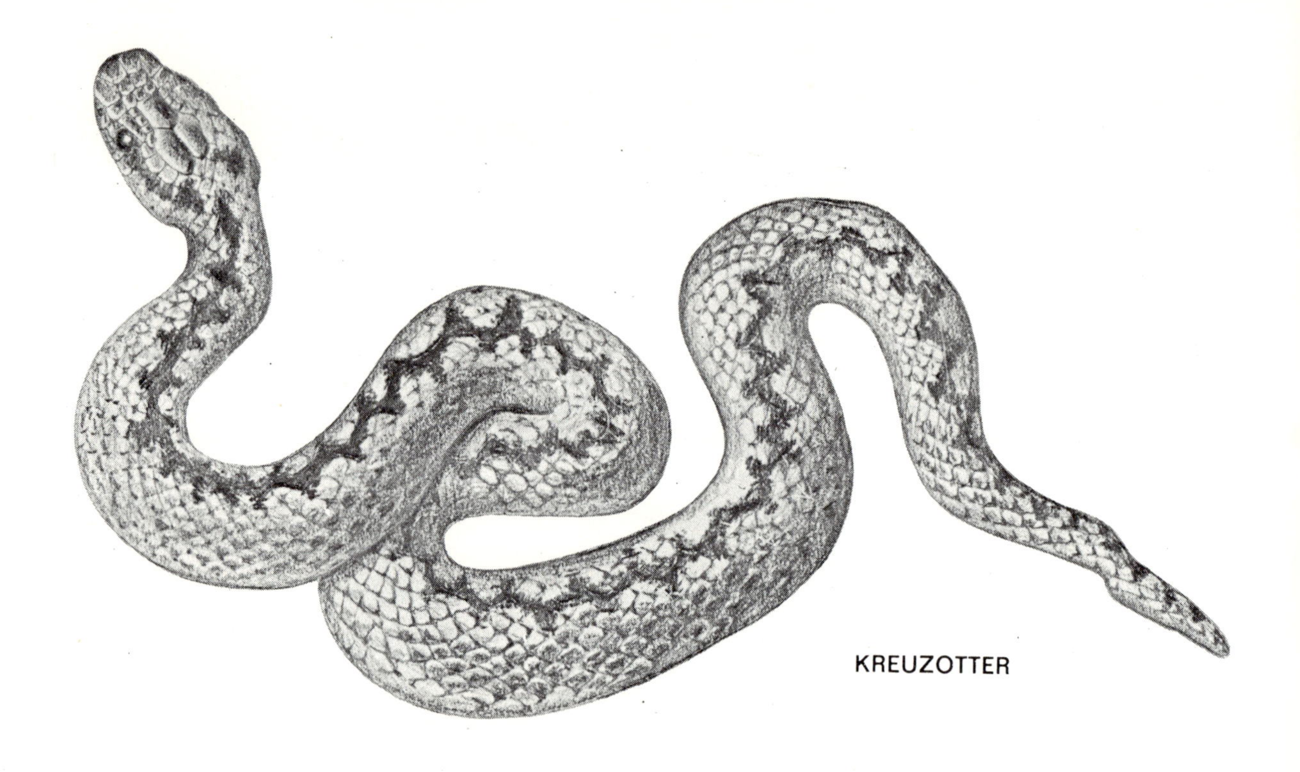

KREUZOTTER

DIE KREUZOTTER

Die 60 bis 80 cm lange Kreuzotter ist unsere bekannteste Giftschlange. Sie ist in ganz Europa beheimatet — von den Alpen bis weit über den Polarkreis und von den Pyrenäen bis zur Amurmündung an der Ostküste Asiens. Als otternfrei gelten in Deutschland das Rhein-Main-Gebiet und die nördlichen Teile Badens und Württembergs. Hier ist die Glasnatter heimisch; sie ist stärker als die Kreuzotter und kann sie erdrosseln.

Woran erkennt man die Kreuzotter?

Die Färbung der Kreuzotter ist stark unterschiedlich: hellgrau, bläulichgrau, gelblichgrau, grünlichbraun, schwarzbraun oder rostrot. Über den Rücken verläuft — meist gut sichtbar — ein dunkles Zickzackband, auf dem Hinterkopf befindet sich eine dunkle, keilförmige Zeichnung. Ein weiteres Merkmal ist der in hellem Licht deutlich sichtbare senkrechte Schlitz der Pupillen.

Ihr Lebensraum sind Wald- und Wiesenränder, Kahlschläge sowie Lichtungen, Steinbrüche, Heideflächen und Moore. Hier sucht sie ihre Nahrung: Feld-, Wald- und Spitzmäuse, gelegentlich auch junge Vögel und Maulwürfe. In den norddeutschen Mooren bevorzugt sie Gras- und Moorfrösche, in den Hochtälern der Alpen vornehmlich Bergeidechsen.

Sie schleicht sich an ihre Beute bis auf etwa fünfzehn Zentimeter heran, schießt dann mit weitgeöffnetem Rachen und hochgestellten Giftzähnen auf das Opfer zu, sticht ihm die beiden 3 bis 4 cm langen Giftzähne ein und zieht sich sofort wieder zurück. Erst wenn sich das Opfer nicht mehr bewegt, nähert sich die Schlange wieder und beginnt mit dem Verschlingen.

Greift die Kreuzotter den Menschen an?

Ungereizt greift die Kreuzotter den Menschen nie an. Sie flieht sogar, wenn man sich ihr nähert. Nur wenn sie nicht mehr entwischen kann, rollt sie sich in Abwehrstellung zu einem Teller zusammen: in der Mitte den Kopf mit dem s-förmig gebogenen Hals. Erst wenn man ihr noch näher kommt, greift sie an. Sie ist also nicht heimtückisch, sondern handelt nur in Notwehr.

Ist ein Kreuzotterbiß gefährlich?

Der Biß, durch den etwa dreißig Milligramm Gift übertragen werden, ist für einen erwachsenen Menschen nur selten lebensgefährlich. Man sollte die Wunde möglichst schnell durch einen Einschnitt erweitern, um das Gift mit dem Blut herausfließen zu lassen. Auf alle Fälle muß das verletzte Glied oberhalb der Wunde abgebunden und alsbald von einem Arzt behandelt werden.

Wo hält sie sich im Winter auf?

Im Oktober oder November suchen die Kreuzottern einen frostsicheren Platz auf; unter einem Baumstumpf vielleicht oder in einem Torfhaufen; meistens überwintern sie zu mehreren. Die warme Frühlingssonne lockt sie wieder aus ihren Verstecken hervor, und im August und September legen die Weibchen die dünnschaligen Eier ab, aus denen bald die etwa 20 cm langen Jungen schlüpfen. Es sind wunderhübsche kleine Schlangen, deren Giftzähne gleich funktionieren.

Ein Nest voll Klapperschlangen. Klapperschlangen legen keine Eier. Sie können bei einem Wurf ein Dutzend Junge zur Welt bringen.

Wie hält man Reptilien?

Wer Tiere halten will, sollte immer bedenken, daß der jeweilige Behälter stets peinlich sauber sein muß. Außerdem braucht jedes Tier ständig genügend frisches Trinkwasser.

Wasserschildkröten hält man in nicht zu kleinen Aquarien mit etwa handhohem Wasserstand. Aus einigen größeren, flachen Steinen läßt sich leicht ein Uferstreifen bauen, damit die Tiere aus dem Wasser kriechen können. Mindestens zweimal in der Woche müssen die Behälter gereinigt werden; das frische Wasser muß von gleicher Temperatur wie das vorherige sein.

Man füttert die Reptilien einmal in der Woche mit Regenwürmern, Wasserinsekten und rohen Fisch- und Fleischstückchen, die man auf die Steine legt. Futter, das bis abends nicht verspeist worden ist, muß entfernt werden. Schildkröten und Alligatoren tragen ihre Nahrung ins Wasser und verschlingen sie dort. Behälter mit Sand, Erde und Bewuchs sehen natürlicher aus, sind jedoch schwer sauber zu halten. Nur zu leicht kann es zu Krankheiten kommen.

Ein einfaches Terrarium für Eidechsen, Schlangen oder Landschildkröten zeigt die Zeichnung auf dieser Seite. Es ist ein Behälter mit einem festen Kastenboden und nichtrostender Drahtgaze ringsum und oben. Er ist gut durchlüftet und läßt sich leicht trocken und sauber halten.

Außer einer Schale für Trinkwasser gehört in einen Reptilienbehälter ein Unterschlupf aus einigen flachen Steinen. Auch ein umgedrehter Karton mit einem kleinen Loch an der Seite ermöglicht es den Tieren, sich zu verstecken. Reptilien sind gute Haustiere, und es macht Freude, sie zu pflegen und etwas von ihrem Leben kennenzulernen.

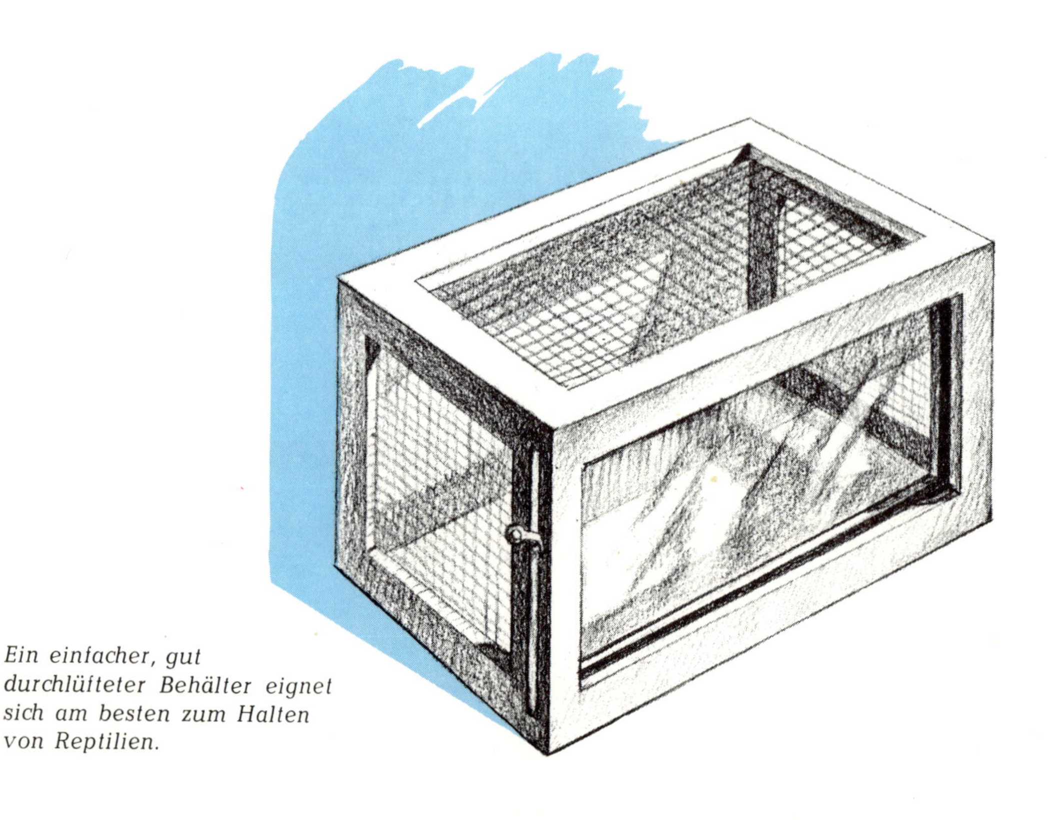

Ein einfacher, gut durchlüfteter Behälter eignet sich am besten zum Halten von Reptilien.

TERRARIUM FÜR SCHLANGEN

AQUATERRARIUM

TERRARIUM FÜR EIDECHSEN

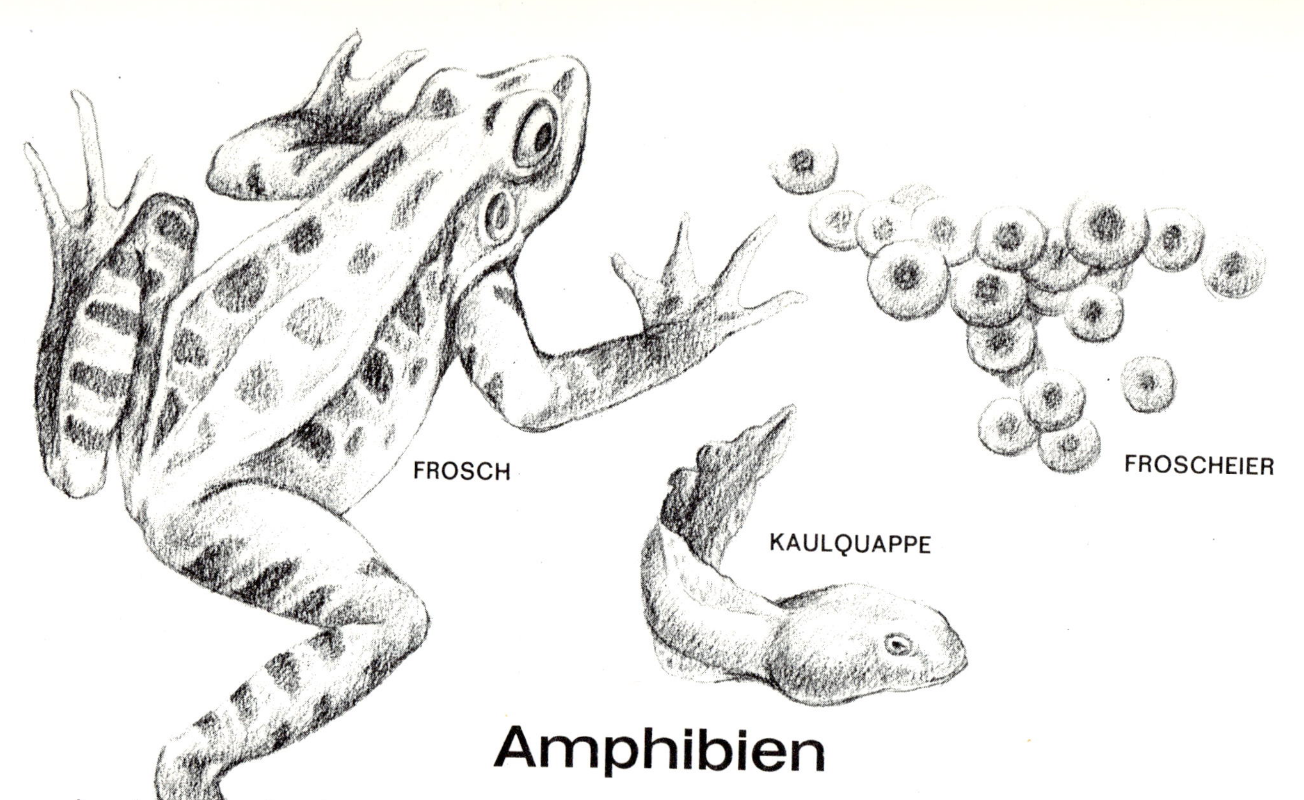

Amphibien

Amphibien oder Lurche sind die älteste und urtümlichste Klasse der Wirbeltiere, die heute auf der Erde leben. Sie unterscheiden sich nach ihrem Körperbau in drei Ordnungen:
Die Blindwühlen sind wurmförmige Lurche ohne Gliedmaßen und Schwanz. Ihre Augen sind weitgehend verkümmert. Sie leben unter der Erde — in Afrika, Asien und Amerika.
Die Schwanzlurche dagegen sind in den Tropen selten. Salamander, Molche und Olme gehören zu ihnen. Es sind langgestreckte Amphibien, in der Regel mit drei bis vier Fingern an den Vorder-, und zwei bis fünf Zehen an den Hinterbeinen. Ihre Haut ist glatt, schlüpfrig und ohne Schuppen. In Mitteleuropa sind sie durch die Familie der Salamander vertreten.

Die ausgewachsenen Froschlurche besitzen keinen Schwanz; sie haben einen kurzen, gedrungenen Körper und vier gut entwickelte Beine mit vier Fingern an den Vorder- und meistens fünf Zehen an den Hinterbeinen. Sie bevölkern in vielen Arten alle Breiten und Kontinente und sind bei uns durch die echten Frösche, Kröten, Krötenfrösche, Laubfrösche und Scheibenzüngler (Unken) vertreten.
Amphibien atmen im Jugendstadium durch Kiemen, ausgewachsen gewöhnlich durch Lungen. Aber auch dann sind sie stärker als die höheren Wirbeltiere auf das Wasser angewiesen. Amphibisch bedeutet: „im Wasser und auf dem Land lebend“. Sie sind wechselwarm, ihre Blutwärme hängt also von der Temperatur ihrer Umgebung ab.

FUSS EINER EIDECHSE

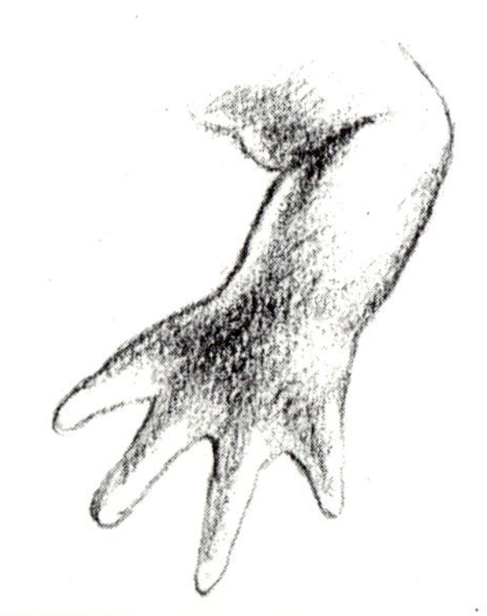
VORDERFUSS EINES SALAMANDERS

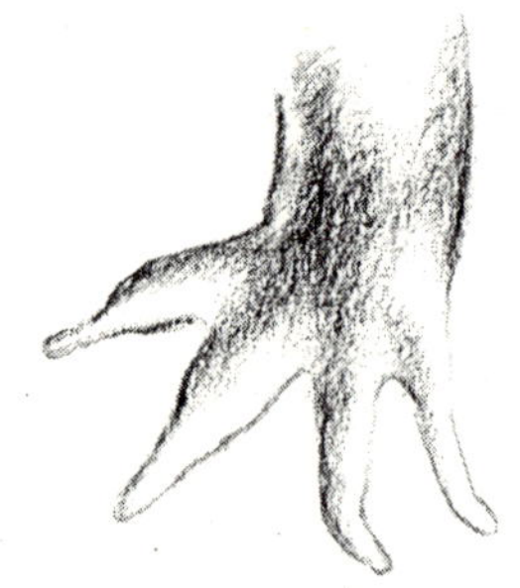
VORDERFUSS EINES FROSCHES

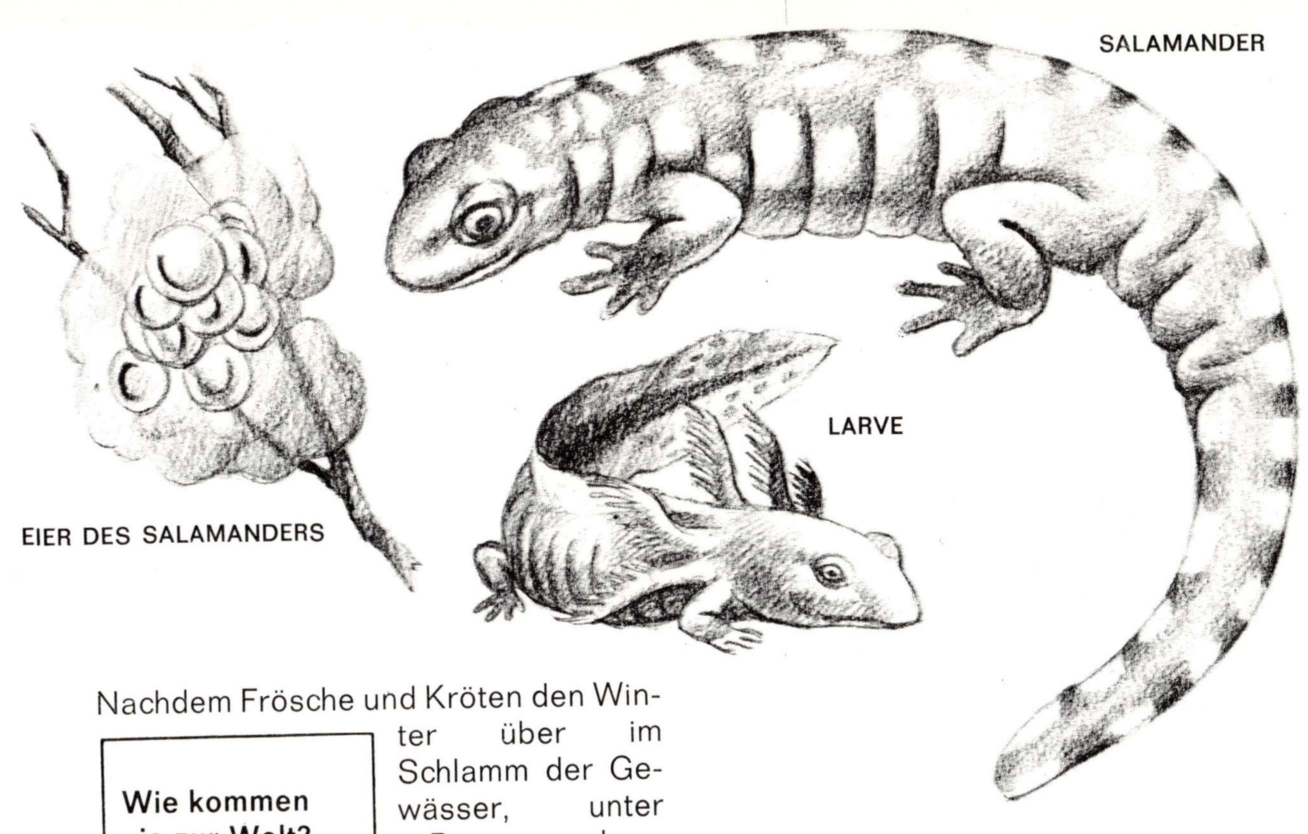

SALAMANDER

LARVE

EIER DES SALAMANDERS

Wie kommen sie zur Welt?

Nachdem Frösche und Kröten den Winter über im Schlamm der Gewässer, unter Baumwurzeln, Graspolstern oder in Erdhöhlen verbracht haben, kommen sie im Frühling wieder zum Vorschein. Die Weibchen legen Eier in einer gallertartigen Masse ab, die an Steinen, Zweigen und Gräsern im Wasser hängen bleiben. In kurzer Zeit — je nach der Art der Amphibien und der Wassertemperatur — entwickeln sich die Eier zu Larven oder Kaulquappen. Diese kleinen Lebewesen sind völlig selbständig. Sie knabbern an kleinen Wasserpflanzen und verbergen sich vor ihren Feinden. Schließlich bilden sich die Kiemen zurück, der Schwanz schrumpft, und die Beine beginnen zu wachsen.

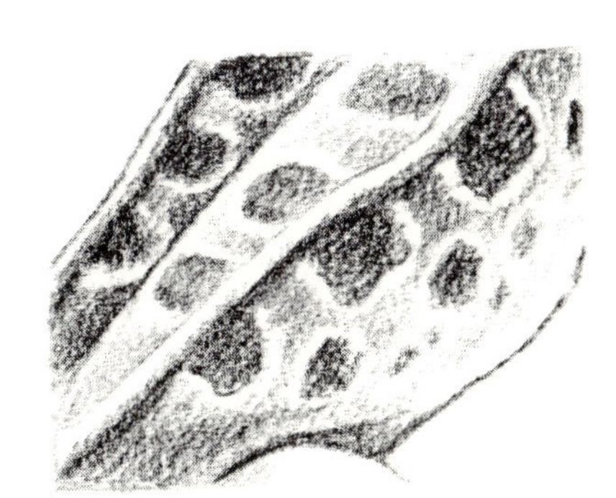

HAUT DES FROSCHES

HAUT DER EIDECHSE

RUFENDE KRÖTE

WIE KRÖTEN DIE BEUTE FANGEN

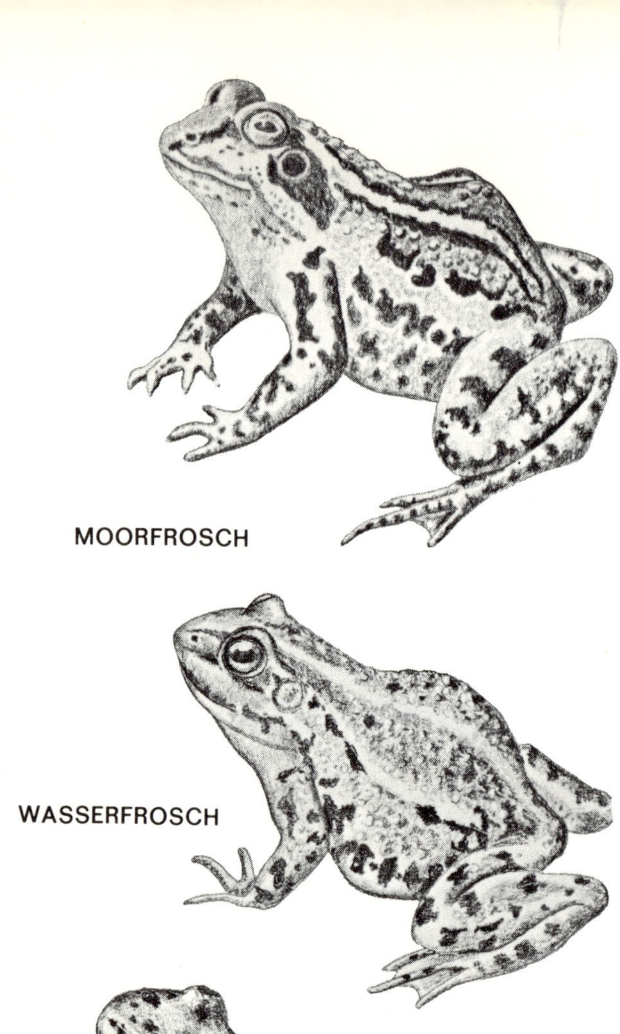

MOORFROSCH

WASSERFROSCH

GRASFROSCH

ERDKRÖTE

OCHSENFROSCH

GRÜNER LAUBFROSCH

HEUSCHRECKENFROSCH

ENGMAULKRÖTE

AMERIKANISCHE KRÖTE

SCHREIFROSCH

Kaulquappen in verschiedenen Entwicklungsstufen

DER SPRINGFROSCH

Wie viele andere Tiere haben auch Frösche eine dem Erdboden und Pflanzenwuchs angepaßte Schutzfärbung. Der etwa 6—8 cm große Springfrosch, der hauptsächlich in Südeuropa lebt, aber auch in einigen Gegenden Deutschlands vorkommt, bevorzugt lichte Buchen- und Mischwälder und entfernt sich häufig von Wassertümpeln, Wassergräben und Teichen, in denen er schon Anfang April laicht. Er ist auf der Oberseite rötlichbraun, zum Teil mit spärlichen dunklen Flecken bedeckt und im Fallaub am Boden fast unsichtbar. Betrachtet man den Springfrosch einmal näher, fallen einem die langen und kräftigen Hinterbeine auf; sie ermöglichen ihm bis zu einem Meter hohe und zwei Meter weite Sätze. Springfrösche sind sehr behende und fangen eine Fliege im Fluge.

Wie sieht er aus?

LAUBFRÖSCHE

Wenn man an Frösche denkt, meint man gewöhnlich, sie hüpften immer auf dem Boden herum. Es gibt aber auch Frösche, die auf Bäumen und Sträuchern leben. Dort ist ihr Jagdrevier, in dem sie Fliegen, Schmetterlinge, Asseln und ähnliches Kleingetier fangen. Bei uns zulande klettert der Laubfrosch meistens nicht höher als zwei bis vier Meter, im Süden dagegen hört man sein helles, plärrendes Quaken hoch von den Pappeln.

Können Frösche Bäume erklettern?

In der Ruhe sitzt dieser kleine Frosch, der selten größer als 5 cm wird, mit Vorliebe auf Blättern. Er schmiegt sich mit seinem ganzen mit kleinen Warzen bedeckten Bauch der Unterlage an. Die

Springfrösche legen 2000—3000 Eier ab.

Haftballen an den Zehen und Fingern und eine klebrige Flüssigkeit verhindern sein Abrutschen. Seinen luftigen Sitz verläßt er nur, um Eier zu legen. Laubfrösche sehen gewöhnlich grün aus. Aber wie kein anderer Frosch wechseln sie nach Luftfeuchtigkeit, Bodenfarbe und Beleuchtung ihre Farbe in grauschwarz, gelblich, blaugrau, weißlich oder eine andere Mischung.

DIE KNOBLAUCHKRÖTE

Es ist nicht ganz einfach, zwischen Kröten und Fröschen zu unterscheiden. Man sollte sich daran erinnern, daß Kröten eine unreine, mit Warzen bedeckte Haut haben, gedrungener als Frösche sind, sich langsamer bewegen und außerdem nicht ständig in der Nähe eines Gewässers leben.

Können Kröten Warzen verursachen?

Es ist natürlich eine Fabel, daß man durch das Berühren einer Kröte Warzen bekommt. Wenn sie sich bedroht fühlt, sondert sie aus den Drüsenhökkern einen weißlichen, nach Knoblauch riechenden Saft ab.
Die Knoblauchkröte ist wie ihr amerika-

nischer Verwandter, der Schaufelfuß-Krötenfrosch, ein Landtier, das sich tagsüber in der Erde verborgen hält. Mit ihrer hornigen, scharfkantigen Grabschaufel auf der Unterseite des Hinterfußes scharrt sie sich rückwärts in lockeren Erdboden ein.

MOLCHE UND SALAMANDER

Schon im zeitigen Frühjahr findet man nach der Schneeschmelze in Mittel- und Nordeuropa in kleinen Gräben und Tümpeln den Teich oder Streifenmolch.

Wie entwickeln sich Molche?

Die Eier haben außen eine klebrige Haftschicht und werden von den Weibchen einzeln an den Blättern von Wasserpflanzen angelegt, und zwar 150 bis 250 Stück innerhalb mehrerer Wochen. Nachdem die Larven ausgeschlüpft sind, setzt nach 2 bis 2½ Monaten die Lungenatmung ein, und die Kiemen verschwinden allmählich.

Drei Monate später steigt der verwandelte Molch an Land. Er führt nun zwei bis drei Jahre lang an feuchten Stellen unter Baumstümpfen, Steinen, Moos und in Erdlöchern ein recht verstecktes Dasein; erst zur Fortpflanzungszeit gibt er dieses Leben auf und kehrt meistens wieder in seinen Heimattümpel zurück. Das Männchen trägt einen hohen, wellig ausgekerbten Rückenkamm und am unteren Hautsaum des Schwanzes ein perlmutterfarbenes Längsband.

Wenn die Feuersalamander im April aus ihrer Winterruhe in tiefen Erdlöchern oder unter hohen Lagen von Fallaub wieder zum Vorschein kommen, sieht man die etwas plumpen

Wie leben die Salamander?

Der Schaufelfuß-Krötenfrosch verläßt abends seinen Schlupfwinkel und geht auf Nahrungssuche

Gesellen mit der glänzendschwarzen Haut und den gelben Flecken und Streifen auf dem Rücken zuweilen zu Dutzenden auf Waldwegen. In den folgenden Monaten aber bekommt man einen Feuersalamander nur selten zu Gesicht. Er wird erst abends munter und macht dann Jagd auf Regenwürmer und Nachtschnecken.

Der Feuersalamander bewohnt das Berg- und Hügelland und liebt schattige, feuchte Waldungen mit kleinen Bächen, in denen das Weibchen die Larven absetzt, die in den Eihüllen im Mutterleib herangewachsen sind und schon vier gutentwickelte Beine und große Kiemen haben. Bis zu ihrer Verwandlung brauchen die Larven jedoch noch mehrere Monate. Dann sind sie 4 bis 5 cm groß, sehen wie die ausgewachsenen Salamander aus und steigen an Land.

Ihre Warnfarben schrecken Tiere, die sie fressen könnten, erfolgreich ab. Wer trotzdem mit ihnen anbinden sollte, macht Bekanntschaft mit den giftigen Säften, die sie aus Drüsen ausscheiden.

FURCHENMOLCH
ALLIGATOR-SALAMANDER
ROTER HÖHLENMOLCH
FEUERSALAMANDER
GEMALTER SALAMANDER
WASSERMOLCHE